15,09.

Les dinosaures

La version originale de cet ouvrage a été publiée en Grande-Bretagne en 1995,
par MacDonald Young Books, Ltd

Cet ouvrage a été conçu et réalisé par Weldon Owen Pty Limited
Copyright © 1995 Weldon Owen Pty Limited
Pour l'édition française : © Éditions Nathan, Paris, 1996
Directeur général : John Owen
Président : Terry Newell
Éditeur : Sheena Coupe
Direction éditoriale : Rosemary McDonald
Direction artistique : Sue Burk
Conception : Kathy Gammon
Coordination recherche iconographique : Jenny Mills
Recherche iconographique : Annette Crueger, Peter Barker
Directeur de fabrication : Caroline Webber
Assistante de fabrication : Kylie Lawson
Responsable des droits internationaux : Stuart Laurence
Textes : Carson Creagh

Conseillère éditoriale : Dr Angela Milner
Directrice du département d'anthropologie et des fossiles vertébrés
au museum d'histoire naturelle de Londres

Adaptation française : Patrick Pasques
Illustrateurs : Simone End ; Christer Eriksson ; John Francis/Bernard Thornton Artists, UK ;
David Kirshner ; Frank Knight ; James Mc Kinnon ; Colin Newman/Bernard Thornton Artists, UK ;
Paul Newman ; Wendy de Paauw ; Marilyn Pride ; Andrew Robinson/Garden Studio ;
Peter Schouten ; Ray Sim ; Rod Westblade

ISBN : 2.09.277208-2
Numéro d'éditeur : 1 00 74 751
Composition : PFC-Dole

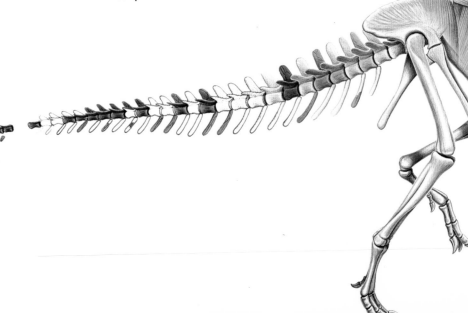

Les dinosaures

TRADUCTION ET ADAPTATION

PATRICK PASQUES

NATHAN

Sommaire

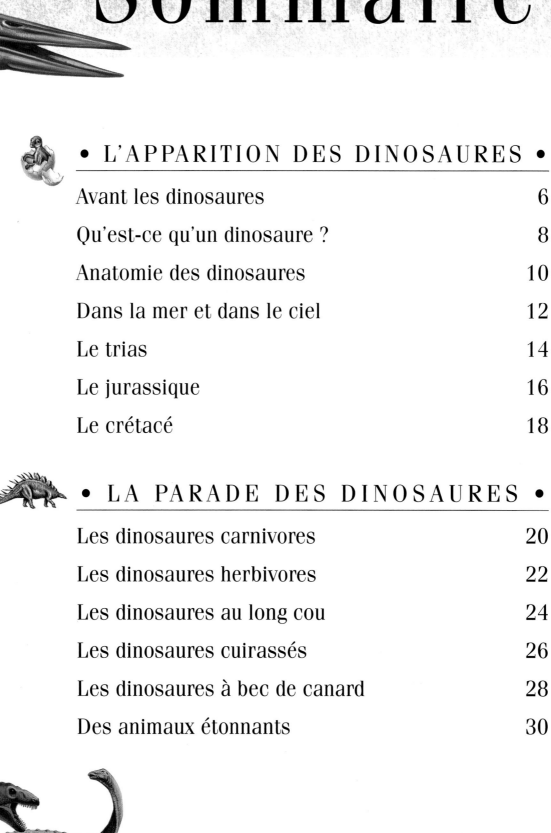

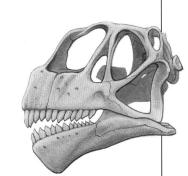

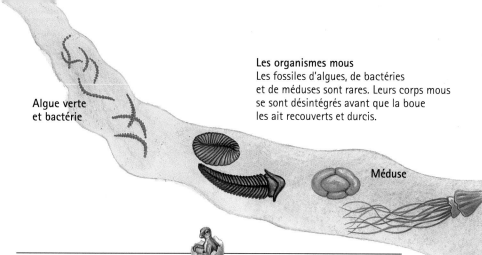

Algue verte et bactérie

Les organismes mous
Les fossiles d'algues, de bactéries et de méduses sont rares. Leurs corps mous se sont désintégrés avant que la boue les ait recouverts et durcis.

Animaux à coquille
Plus de 10 000 espèces de trilobites, toutes disparues aujourd'hui, ont vécu pendant la période comprise entre 520 et 250 millions d'années. Leur longueur variait de 3 à 50 cm.

Méduse

Ammonite

Trilobites

Pteraspis

Drepanaspis

Scorpion

• L'APPARITION DES DINOSAURES •

Avant les dinosaures

La Terre s'est formée voici 4,6 milliards d'années. Sa longue histoire se divise en plusieurs périodes au cours desquelles des formes vivantes d'une étonnante variété se sont développées. Au commencement, des bactéries et des algues unicellulaires se sont formées, et ont évolué dans les mers chaudes qui recouvraient presque toute la planète. Durant l'ère paléozoïque, des plantes et des animaux plus complexes apparaissent dans les océans. Des vers, des méduses et des mollusques à coquille dure, habitant les mers peu profondes sont dévorés par des poissons osseux. Les plantes et les animaux qui conquièrent la terre ferme sont mangés par les amphibiens. Ceux-ci ont évolué à partir de poissons, et certains sont à l'origine des reptiles. Ces reptiles primitifs ont donné naissance aux tortues, aux lézards, aux crocodiles, aux oiseaux et aux premiers dinosaures. Ces derniers ont régné sur le monde pendant des millions d'années.

Les premiers poissons sans mâchoire
Les poissons cuirassés tels que *Pteraspis* et *Drepanaspis* ne possédaient pas de mâchoire. Ils aspiraient leur nourriture contenue dans la boue ou se nourrissaient de plancton.

Un poisson osseux
Dunkleosteus, un poisson géant des mers de la fin du Dévonien, mesurait près de 3,5 m de long. Il ne possédait pas de dents mais saisissait ses proies dans sa gueule, garnie de plaques osseuses tranchantes.

Un amphibien
Ichthyostega ne pouvait ni comprimer, ni dilater sa rigide cage thoracique. Cet amphibien d'un mètre de long devait donc remuer la bouche pour aspirer de l'air.

Un reptile primitif
Hylonomus, un reptile long d'une vingtaine de centimètres, n'est connu que par des fossiles trouvés dans des restes de troncs d'arbres. Ces animaux ont dû rester prisonniers alors qu'ils chassaient des insectes.

Un reptile mammalien
Dimetrodon, long de 3 m, devait orienter sa « voile » pour emmagasiner la chaleur du soleil et se réchauffer rapidement dès les premiers rayons.

***Thécodontes* archosaures**
Ornithosuchus ressemblait à *Tyrannosaurus*, mais ce n'était pas un dinosaure. Il possédait cinq orteils à chaque pied, alors que *Tyrannosaurus* n'en avait que trois.

LE GROUPE DES DINOSAURES

Les dinosaures, apparus au cours du jurassique, sont issus de reptiles ressemblant à des crocodiles, dont les pattes sont articulées à angle droit de leur corps. *Euparkeria*, vivant au début du trias, a des pattes assez droites et porte son corps au-dessus du sol. *Lagosuchus*, vivant au milieu du trias, marche sur ses membres postérieurs. À la fin du trias, le prédateur *Ornithosuchus* ressemble un peu à un dinosaure mais le plus ancien dinosaure qu'on connaisse est *Eoraptor* : il apparut voici 228 millions d'années.

Ornithosuchus 4 m

| *Euparkeria* | *Lagosuchus* | *Eoraptor* |
| 60 cm | 30 cm | 1,2 m |

Millions d'années	4600	2500	570	510	439	408	362	290	245

	Précambrien		Ère paléozoïque						
Origine de la Terre	Archéen	Protérozoïque	Cambrien	Ordovicien	Silurien	Dévonien	Carbonifère	Permien
	Premières bactéries et algues unicellulaires dans les océans.	Premiers animaux pluricellulaires à corps mou, tels que vers et méduses.	Premières éponges, vers annelés et animaux à coquilles dures.	Premiers animaux à colonne vertébrale ; poissons sans mâchoire, requins, poissons osseux.	Premières plantes terrestres. Scorpions marins de près de 2 m dominant les mers.	Règne des poissons. Apparition des premiers vertébrés terrestres.	Règne des amphibiens. Reptiles primitifs chassant insectes et petits amphibiens.	Nombreuses espèces de reptiles herbivores et carnivores. Extinction des trilobites.

Dunkleosteus

Ichthyostega

Dimetrodon

Libellule

Hylonomus

Ornithosuchus

Qu'est-ce qu'un dinosaure ?

Les dinosaures furent des reptiles très particuliers. Certains n'étaient pas plus gros que des poulets et d'autres aussi grands que des avions. Ils ont subi une des plus saisissantes évolutions jamais observées sur Terre. Dominant le monde pendant 150 millions d'années, ils ont peuplé tous les continents au cours de l'ère mésozoïque, comprenant le trias, le jurassique et le crétacé. Comme les reptiles actuels, les dinosaures avaient une peau écailleuse. Les premiers dinosaures étaient carnivores, mais des herbivores apparurent ensuite, broutant l'abondante végétation environnante. Les dinosaures comprennent deux groupes, selon leur anatomie : les saurischiens « à bassin de lézard » et les ornithischiens « à bassin d'oiseau ». Les dinosaures sont les seuls reptiles à avoir un tel squelette.

LES TUEURS DU JURASSIQUE
Cette scène du jurassique montre, en Amérique du Nord, un *Apatosaurus* de 21 m de long broutant tranquillement, alors qu'*Ornitholestes* s'empare d'une salamandre affolée par l'arrivée du géant.

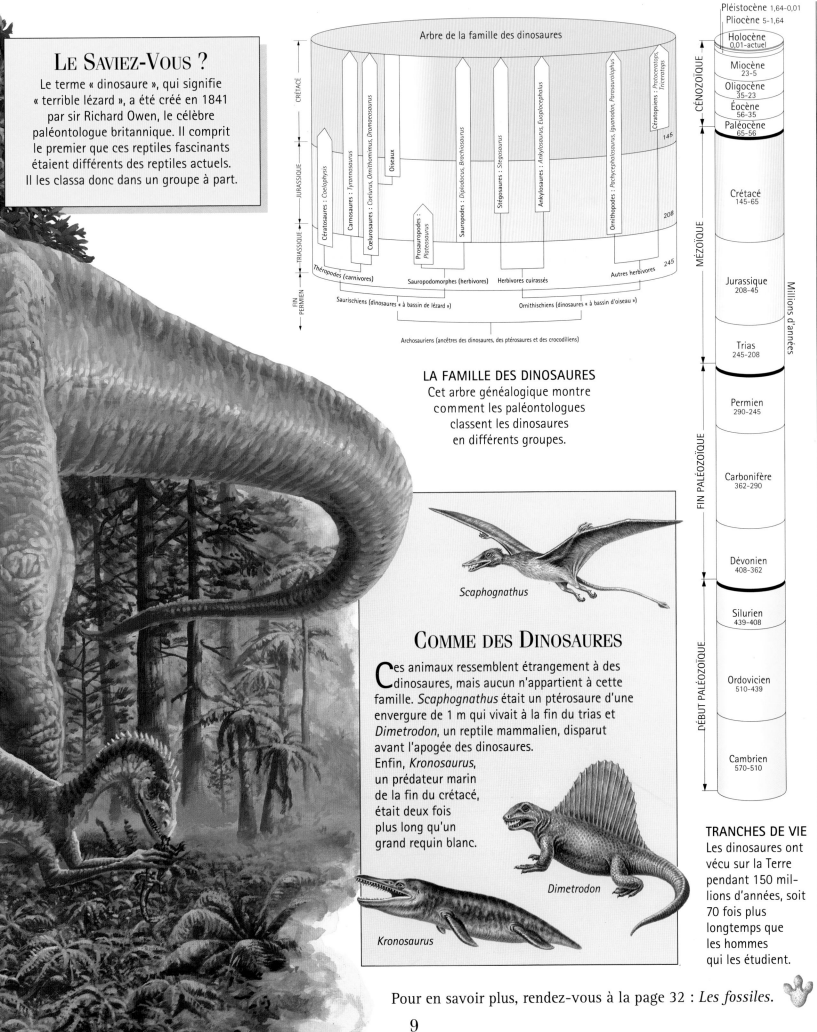

LE SAVIEZ-VOUS ?

Le terme « dinosaure », qui signifie « terrible lézard », a été créé en 1841 par sir Richard Owen, le célèbre paléontologue britannique. Il comprit le premier que ces reptiles fascinants étaient différents des reptiles actuels. Il les classa donc dans un groupe à part.

Arbre de la famille des dinosaures

CRÉTACÉ

JURASSIQUE

TRIASSIQUE

FIN PERMIEN

Cératosaures : *Coelophysis*

Carnosaures : *Tyrannosaurus*

Coelurosaures : *Coelurus, Ornithomimus, Dromaeosaurus*

Oiseaux

Prosauropodes : *Plateosaurus*

Sauropodes : *Diplodocus, Brachiosaurus*

Stégosaures : *Stegosaurus*

Ankylosaures : *Ankylosaurus, Euoplocephalus*

Ornithopodes : *Pachycephalosaurus, Iguanodon, Parasaurolophus*

Cératopsiens : *Protoceratops, Triceratops*

145

208

245

Théropodes (carnivores)

Sauropodomorphes (herbivores)

Herbivores cuirassés

Autres herbivores

Saurischiens (dinosaures « à bassin de lézard »)

Ornithischiens (dinosaures « à bassin d'oiseau »)

Archosauriens (ancêtres des dinosaures, des ptérosaures et des crocodiliens)

LA FAMILLE DES DINOSAURES

Cet arbre généalogique montre comment les paléontologues classent les dinosaures en différents groupes.

Scaphognathus

COMME DES DINOSAURES

Ces animaux ressemblent étrangement à des dinosaures, mais aucun n'appartient à cette famille. *Scaphognathus* était un ptérosaure d'une envergure de 1 m qui vivait à la fin du trias et *Dimetrodon*, un reptile mammalien, disparut avant l'apogée des dinosaures.
Enfin, *Kronosaurus*, un prédateur marin de la fin du crétacé, était deux fois plus long qu'un grand requin blanc.

Dimetrodon

Kronosaurus

Pléistocène 1,64-0,01
Pliocène 5-1,64
Holocène 0,01-actuel

Miocène 23-5

Oligocène 35-23

Éocène 56-35

Paléocène 65-56

CÉNOZOÏQUE

Crétacé 145-65

Jurassique 208-45

Trias 245-208

MÉZOÏQUE

Permien 290-245

Carbonifère 362-290

Dévonien 408-362

Silurien 439-408

Ordovicien 510-439

Cambrien 570-510

FIN PALÉOZOÏQUE

DÉBUT PALÉOZOÏQUE

Millions d'années

TRANCHES DE VIE

Les dinosaures ont vécu sur la Terre pendant 150 millions d'années, soit 70 fois plus longtemps que les hommes qui les étudient.

Pour en savoir plus, rendez-vous à la page 32 : *Les fossiles*.

9

UNE MARCHE EN ZIGZAG

Les ancêtres des dinosaures devaient se contorsionner à gauche et à droite pour avancer, comme les lézards. Ils dépensaient ainsi beaucoup d'énergie pour déplacer leur corps et soulever leurs pattes.

POSITION INTERMÉDIAIRE

Certains reptiles, comme les crocodiles, avaient les pattes plus proches du corps. Ils pouvaient ainsi soulever leur corps et courir vite sur de courtes distances.

SUR DEUX PATTES

Le poids d'un grand dinosaure était supporté par ses pattes droites, positionnées sous le corps. Chez les dinosaures bipèdes, la masse du corps était maintenue en équilibre par la masse de la queue. Les pattes avant servaient alors à saisir la nourriture.

UN HERBIVORE BIPÈDE

Edmontosaurus, long de 13 m, est un ornithischien. L'os pubien, orienté vers l'arrière, laissait la place au long tube digestif qui lui servait à digérer ses aliments. Chez les sauropodes (les saurischiens herbivores et quadrupèdes), les intestins sont situés à l'avant.

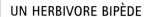
Ilion · Pubis

Ischion

Bassin
d'ornithischien

Anatomie des dinosaures

Les dinosaures marchaient les pattes repliées sous le corps, contrairement aux autres reptiles dont les pattes étaient écartées. Le bassin et l'os supérieur des pattes postérieures formaient une articulation à angle droit, pour leur permettre de supporter plus facilement le poids de leur corps. De plus, les pattes pouvaient bouger d'avant en arrière. Ils n'avaient plus à tourner le corps à droite et à gauche à chaque pas et leur respiration en était facilitée, même quand ils couraient. Ils pouvaient aussi devenir très imposants et se déplacer plus vite que tous les autres reptiles. Les carnivores et les sauropodes herbivores (appelés saurischiens ou dinosaures « à bassin de lézard ») avaient l'os pubien orienté vers l'avant. Chez les herbivores ornithischiens ou dinosaures « à bassin d'oiseau » une partie du pubis pointait vers l'arrière, laissant de la place au tube digestif.

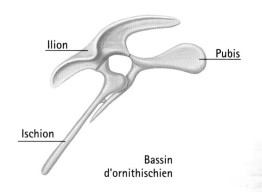

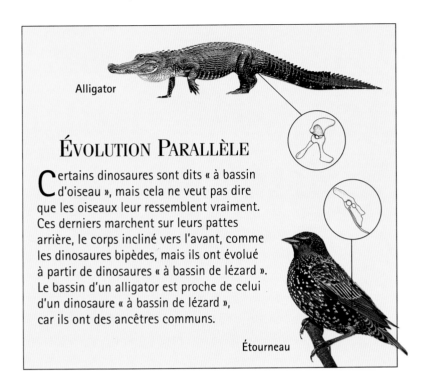

Alligator

ÉVOLUTION PARALLÈLE

Certains dinosaures sont dits « à bassin d'oiseau », mais cela ne veut pas dire que les oiseaux leur ressemblent vraiment. Ces derniers marchent sur leurs pattes arrière, le corps incliné vers l'avant, comme les dinosaures bipèdes, mais ils ont évolué à partir de dinosaures « à bassin de lézard ». Le bassin d'un alligator est proche de celui d'un dinosaure « à bassin de lézard », car ils ont des ancêtres communs.

Étourneau

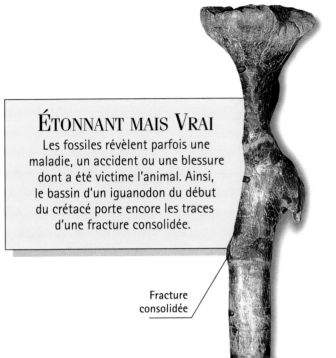

ÉTONNANT MAIS VRAI

Les fossiles révèlent parfois une maladie, un accident ou une blessure dont a été victime l'animal. Ainsi, le bassin d'un iguanodon du début du crétacé porte encore les traces d'une fracture consolidée.

Fracture consolidée

UN TUEUR VÉLOCE

Ce féroce saurischien, *Allosaurus*, carnivore de 12 m de long, vivait à la fin du jurassique. Son os pubien, orienté vers l'avant et formant un triangle rigide avec les os du bassin (ilion et ischion), soutenait les muscles des pattes et permettait une course rapide.

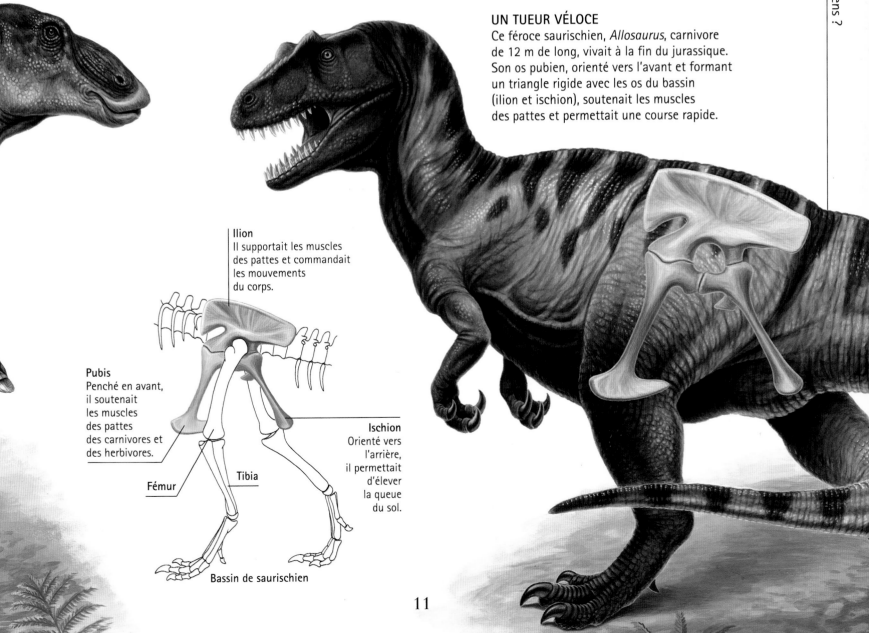

Ilion
Il supportait les muscles des pattes et commandait les mouvements du corps.

Pubis
Penché en avant, il soutenait les muscles des pattes des carnivores et des herbivores.

Ischion
Orienté vers l'arrière, il permettait d'élever la queue du sol.

Fémur

Tibia

Bassin de saurischien

11

Dans la mer et dans le ciel

Le géant des airs
Pteranodon avait un long bec sans dents. On pense qu'il capturait ses proies comme les pélicans de nos jours.

Le mangeur de poisson
Dimorphodon, un ptérosaure, capturait ses proies avec sa longue queue et ses nombreuses dents.

Le premier oiseau
Archaeopteryx, issu des dinosaures, est le plus vieil oiseau connu. Il devait se nourrir d'insectes et de petits reptiles.

PROIE EN VUE

Au-dessus de la mer de la fin du jurassique, un ptérosaure, *Rhamphorhynchus*, épie un *Muraenosaurus*, un plésiosaure de 6 m de long, attaquant un banc de poissons *Leptolepis*. *Rhamphorhynchus* avait une queue munie d'une membrane qui l'aidait à voler.

P endant l'ère mésozoïque, les dinosaures font la loi sur la terre, les reptiles règnent dans les mers et les reptiles volants, les ptérosaures, gouvernent le ciel. Les reptiles marins et les ptérosaures ne sont pas tout à fait des sauropodes, bien que certains reptiles marins au long cou leur ressemblent. Les ptérosaures, avec leurs ailes membraneuses, sont les premiers vertébrés à conquérir le ciel. Beaucoup chassent les poissons mais d'autres, dépourvus de dents, comme *Quetzalcoatlus*, l'animal à la plus grande envergure de tous les temps, se nourrissent de charognes qu'ils saisissent entre leurs mâchoires. Plésiosaures, pliosaures, tortues marines, crocodiles et autres reptiles marins vivent dans les eaux du monde mésozoïque. Les plésiosaures, pourvus de longs cous, se nourrissent de petits animaux marins, et les pliosaures à grosse tête, mais à petit cou, s'attaquent à de plus grosses proies avec leurs dents acérées.

LES ANIMAUX VOLANTS

Les animaux volants du mésozoïque présentaient de grandes différences, encore visibles chez les oiseaux d'aujourd'hui. Les ailes des ptérosaures étaient constituées d'une large membrane de peau fixée le long du quatrième doigt. Tandis que les ailes de nos chauves-souris sont formées par une membrane de peau, fixée sur tous les doigts. Les oiseaux actuels sont issus d'*Archaeopteryx*. Les plumes de ses ailes ressemblaient beaucoup à celles de nos pigeons.

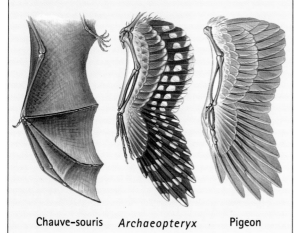

Chauve-souris   *Archaeopteryx*   Pigeon

LE LÉZARD-POISSON

Ichthyosaurus (en latin, « lézard-poisson ») mesurait 2 m de long et son corps était aussi aérodynamique que celui d'un dauphin. Il devait pouvoir nager à près de 40 km/h, sur de courtes distances.

DANS L'OCÉAN

Le pliosaure *Peloneustes*, 3 m de long, avait un petit cou, mais de longues mâchoires garnies de dents.

La tortue *Archelon* mesurait presque 4 m de long, soit autant qu'une automobile.

Nothosaurus du trias, long de 3 m, était aussi à l'aise sur terre que dans l'eau.

Platecarpus, lézard long de 4 m, avait une queue aussi longue que son corps.

Deinosuchus était un crocodile géant du crétacé, long de 15 m.

ÉTONNANT MAIS VRAI

Éric, un pliosaure du jurassique long de 1,5 m, découvert dans le Queensland en Australie, est un des fossiles les plus spectaculaires. En se fossilisant, ses os se sont peu à peu transformés en une pierre précieuse, l'opale.

Pour en savoir plus, rendez-vous à la page 54 : *De génération en génération...*

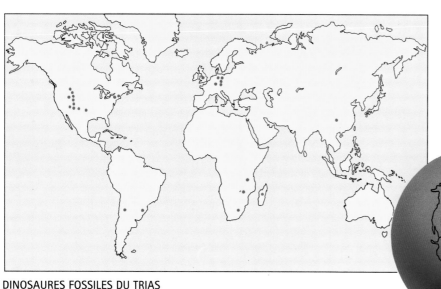

DINOSAURES FOSSILES DU TRIAS

CARTE GÉOGRAPHIQUE DU TRIAS
Durant le trias, les terres émergées formaient un continent, la Pangée. La présence de fossiles en Amérique du Nord, Afrique et Europe prouve que beaucoup de dinosaures vivaient au centre de ce grand continent.

Ginkgo

• L'APPARITION DES DINOSAURES •

Le trias

Les dinosaures sont apparus pendant le trias, il y a 228 millions d'années. Les terres ne formaient qu'un immense continent, la Pangée (signifiant « toute la Terre » en grec). La Pangée était composée de trois grands types de biotopes et était dominée par les reptiles mammaliens. Près des côtes se trouvaient des forêts de ginkgos, de prêles, de fougères géantes, peuplées d'insectes, d'amphibiens et de petits reptiles tels que tortues, lézards, crocodiles et de mammifères primitifs. Les régions sèches et froides, proches de l'équateur, étaient recouvertes de forêts de grands conifères (pins et sapins) et de cycas ressemblant à des palmiers. Au centre de la Pangée s'étendaient des déserts chauds et sablonneux. Une grande variété de plantes et d'animaux vivaient sous ces différents climats. Chaque forme de vie trouvait sa nourriture en suffisance.

Coelophysis

LA CHASSE
Dans les chaudes et humides forêts côtières de la Pangée, deux *Coelophysis* chassent un *Planocephalosaurus* réfugié dans un arbre.

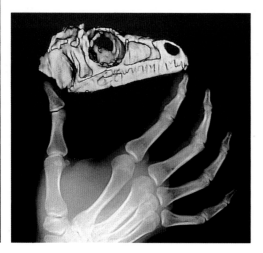

UN DINOSAURE PRIMITIF
Eoraptor, le plus ancien dinosaure connu (dont on voit ici la radiographie d'une tête fossile tenue par une main), vivait dans une région correspondant à l'Amérique du Sud actuelle. Ce dinosaure avait des mâchoires peu mobiles, aussi devait-il se nourrir de cadavres d'animaux tués par d'autres reptiles.

ÉTONNANT MAIS VRAI

Coelophysis était agile et utilisait ses fortes pattes antérieures griffues pour saisir de petites proies. Un fossile fut retrouvé avec les restes d'un jeune *Coelophysis* dans l'estomac. Ce tueur du trias dévorait-il les membres de sa propre espèce ?

DINOSAURES DU TRIAS

Zanclodon, carnosaure carnassier, 6 m de long.

Prêles

Cycas

Herrerasaurus, cœlurosaure carnassier, 3 m de long.

Procompsognathus, cœlurosaure carnassier, 1,2 m de long.

Saltopus, carnosaure carnassier, 60 cm de long.

Plateosaurus, prosauropode herbivore, 8 m de long.

MENU DE DINOSAURES

Avant l'apparition des plantes à fleurs, au cours du crétacé, les dinosaures herbivores broutaient les fougères et les feuilles des arbres. Les plantes avaient des écorces cireuses résistantes ou des épines piquantes.

Les carnivores, comme *Eoraptor* ou *Coelophysis*, mangeaient des cafards ou des libellules mais aussi des grenouilles, des reptiles et même des mammifères.

Libellule

Fougère arborescente

Wielandiella

Haramiya

Pour en savoir plus, rendez-vous à la page 20 : *Les dinosaures carnivores.*

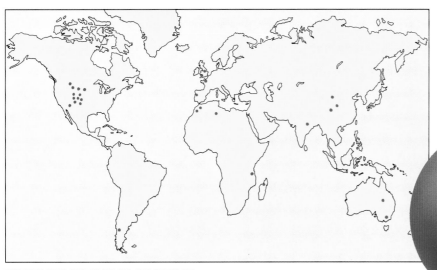

DINOSAURES FOSSILES DU JURASSIQUE

SÉPARATION
Tandis que les deux continents se séparent,
les territoires des dinosaures se singularisent.
La plupart des sauropodes herbivores restent
dans le Gondwana alors que des théropodes,
comme *Allosaurus*, se dispersent dans
toute la Laurasie.

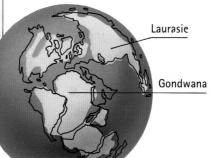

Laurasie

Gondwana

ÉTONNANT MAIS VRAI

Les immenses forêts du monde jurassique
ont été détruites par les orages
ou les inondations et recouvertes de boue
et de terre. Puis elles se sont progressivement
transformées en charbon, dur comme
la pierre, mais combustible comme le bois !

REDRESSER LA TÊTE
Un *Diplodocus* se
redresse pour lutter
contre un prédateur.
Ses pattes antérieures
griffues et sa queue,
qui sert de fouet,
sont prêtes pour
le combat.

• L'APPARITION DES DINOSAURES •

Le jurassique

À la fin du trias, la Pangée donne naissance à deux grands
continents : la Laurasie et le Gondwana. De nouvelles
espèces de dinosaures apparaissent et évoluent
parallèlement sur ces deux continents. Températures assez
fraîches et pluies plus abondantes créent un climat chaud
et humide, idéal pour les reptiles. Amorcée au cours du trias,
la séparation des deux groupes de dinosaures à « bassin de lézard »
continue : les théropodes carnivores marchent sur deux pattes et
les sauropodes herbivores sur quatre. Les dinosaures à « bassin
d'oiseau » restent herbivores. Les sauropodes herbivores géants
au long cou, les dinosaures cuirassés à « bassin d'oiseau »
du type *Stegosaurus* et d'autres dinosaures à « bassin d'oiseau »,
comme *Camptosaurus*, sont les dinosaures les plus puissants
du monde jurassique.

Camptosaurus, 6 m de long, Europe et Amérique du Nord.

Allosaurus, 12 m de long, Amérique du Nord.

Stegosaurus, 9 m de long, Amérique du Nord.

Coelurus, 2 m de long, Amérique du Nord.

UN BON APPÉTIT

*B*rachiosaurus, 23 m de la tête à la queue pour 12 m de haut, pesait le poids incroyable de 80 tonnes (plus que 12 éléphants d'Afrique), et mangeait l'équivalent de 35 ballots de paille par jour ! Ses pattes avant étaient plus longues que ses pattes arrière et son dos était incliné comme celui de nos girafes. Avec son long cou, il atteignait les pousses tendres du sommet des arbres.

Cycas

Sol couvert de fougères

AU MENU...
Les dinosaures du jurassique se nourrissaient de tortues aquatiques telles que *Pleisochelys* et peut-être même du plus ancien oiseau, *Archaeopteryx*.

Pour en savoir plus, rendez-vous à la page 24 : *Les dinosaures au long cou.*

17

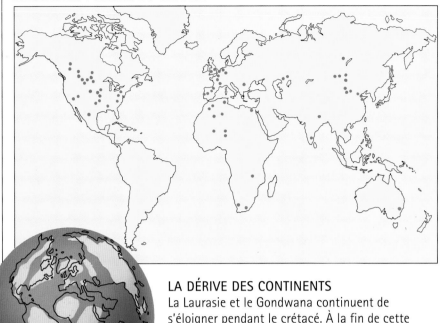

LA DÉRIVE DES CONTINENTS

La Laurasie et le Gondwana continuent de s'éloigner pendant le crétacé. À la fin de cette période, les continents sont pratiquement à la place qu'ils occupent aujourd'hui. Bien que quelques bandes de terres relient encore les continents, les dinosaures évoluent chacun sur leur territoire.

• L'APPARITION DES DINOSAURES •

Le crétacé

L e crétacé a duré 80 millions d'années. Le nombre d'espèces de dinosaures de cette période dépasse celui du trias et du jurassique. Pourtant, à la fin du crétacé, il y a plus de 65 millions d'années, les dinosaures disparaissent. Au début du crétacé, le climat est chaud, les hivers tempérés et secs sont suivis d'abondantes pluies de printemps. Puis les étés deviennent plus chauds et les hivers plus froids dans les régions habituellement tempérées et dans les régions du cercle polaire. Les dinosaures herbivores géants disparaissent et laissent place à des espèces plus petites, comme *Triceratops* et les dinosaures à bec de canard. La végétation du jurassique ayant largement régressé à cause de l'énorme appétit des dinosaures géants, de nouvelles espèces de plantes commencent à se développer. Les plantes à fleurs apparaissent durant cette période et servent de nourriture à de nouvelles espèces d'herbivores. Ces consommateurs de plantes à fleurs sont à leur tour la proie de carnivores, des serpents qui surgissent durant cette période aux dinosaures prédateurs, comme le terrifiant *Tyrannosaurus*.

Forêt de conifères

Magnolias

PROIE ET PRÉDATEUR

Dans cette scène de la fin du crétacé en Mongolie, un *Velociraptor* combat un *Protoceratops*, écrasant les œufs d'un autre dinosaure. Un *Prenocephale* curieux assiste à cette lutte acharnée.

CYCLE DE LA VIE

Les plantes à fleurs (A) étaient pollinisées par les insectes (B), eux-mêmes mangés par de petits mammifères tel que *Alphadon* (C), lequel servait de proie aux dinosaures tels que *Dromaeosaurus* (D). Les déjections des dinosaures fertilisaient les plantes, bouclant ainsi le cycle de la vie.

SEMBLABLES MAIS DIFFÉRENTS

*H*ypacrosaurus et *Bactrosaurus* sont tous deux des dinosaures à bec de canard issus du même ancêtre. *Hypacrosaurus* vivait en Amérique du Nord. Il mesurait 9 m de long et possédait une crête semi-circulaire sur le crâne. *Bactrosaurus*, d'Asie centrale, ne mesurait que 4 m de long. Quand les continents se sont séparés, ces dinosaures ont évolué différemment parce qu'ils ne vivaient pas dans les mêmes milieux.

Saltasaurus

Tyrannosaurus

Triceratops

Corythosaurus

Pachycephalosaurus

Euoplocephalus

LE ROI DES PRÉDATEURS

Tyrannosaurus
(le « lézard tyran »)
fut le plus terrible
des prédateurs de tous
les temps. Gigantesque,
il pesait plus lourd
qu'un éléphant
d'Afrique. Cinq
fossiles complets
ont été retrouvés.

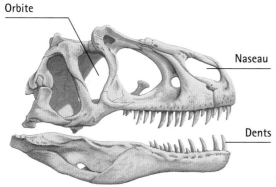

Orbite

Naseau

Dents

LE CRÂNE DES CARNIVORES

Allosaurus, un prédateur de 12 m de long de la fin
du jurassique et du début du crétacé, pesait plus
d'une tonne et son crâne pouvait mesurer un
mètre. Ses mâchoires s'ouvrant largement, il
pouvait avaler de gros morceaux de viande.

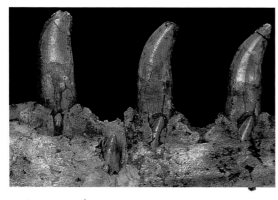

DENTS ET MÂCHOIRES

Les théropodes, tel *Megalosaurus*, avaient de longues
mâchoires souvent ornées de dents acérées.
Des dents de rechange remplaçaient celles
qui tombaient par accident.

Les dinosaures carnivores

La plupart de ces dinosaures étaient de rapides chasseurs ainsi
que de redoutables et intrépides prédateurs. Mais certains
petits carnassiers (*Compsognathus* était plus petit qu'un
poulet) se nourrissaient d'insectes, d'œufs, de reptiles et de
mammifères. Les dinosaures carnivores (carnosaures, cératosaures
et cœlurosaures) avaient tous : corps râblés et musculeux, pattes
antérieures sveltes, queue puissante et pattes arrière musclées
terminées par des griffes acérées. Avec leurs grands yeux et
leurs dents comme des poignards, ces reptiles étaient de féroces
prédateurs. Les pattes de *Coelurosaure Deinonychus* étaient munies
de longues griffes capables d'éventrer ses victimes. *Megalosaurus*,
un carnosaure, avait des mâchoires armées de crocs très
tranchants. Les dinosaures carnivores possédaient un cerveau
beaucoup plus gros que celui des dinosaures herbivores, car
chasser une grosse proie demandait une stratégie sans faille.

LA LUTTE POUR LA VIE

Tenontosaurus, un herbivore du début
du crétacé, combat un groupe de féroces
Deinonychus. Cette scène n'est peut-être
pas imaginaire car, aux États-Unis,
un fossile de *Tenontosaurus* a été
retrouvé entouré de cinq
spécimens de *Deinonychus*.

Compsognathus
Cœlurosaure

Oviraptor
Cœlurosaure

Albertosaurus
Carnosaure

BON APPÉTIT !

*C*ompsognathus *Cœlurosaure*
attrapait et dévorait ses proies
avec ses pattes antérieures. *Oviraptor*
brisait les œufs avec son bec corné.
Albertosaurus avait des pattes
antérieures si courtes qu'il devait
découper ses proies avec ses
puissantes mâchoires. Le mangeur
de poisson *Baryonyx*, un dinosaure
théropode découvert en 1983,
utilisait les griffes de ses
pattes antérieures pour
harponner ses proies.

Baryonyx
(non classé)

COUTEAUX ET HACHOIRS

La forme des dents des dinosaures herbivores dépend de leur alimentation. Ceux qui broutent les feuilles résistantes, les palmiers et les conifères ont d'épaisses dents en forme de pieux. Ceux qui mangent les feuilles et les fruits tendres des plantes à fleurs ont des dents plus minces en forme de feuilles.

Dent en forme de pieu

Dent en forme de feuille

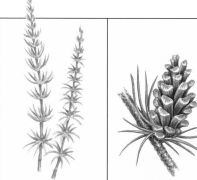 

Les dinosaures du trias mangeaient des grandes fougères.

Ceux du jurassique mangent cônes de pin et fruits des cycas.

Ceux du crétacé mangent des plantes à fleurs comme les magnolias.

DES PIERRES DANS L'ESTOMAC

Les sauropodes, tel *Saltasaurus*, n'avaient pas de dents broyeuses. Ils arrachaient les feuilles avec leurs dents étroites et les digéraient à l'aide de pierres contenues dans leur estomac, les gastrolithes. Malaxés par les contractions musculaires de l'estomac, les éléments végétaux se réduisaient en bouillie.

LE DÎNER DES DINOSAURES

De nouvelles espèces de plantes et de dinosaures sont apparues sur Terre en même temps. Les sauropodes herbivores, les plus grands de tous les dinosaures, engloutissaient de grandes quantités de végétaux.

MANGER AVEC LES DOIGTS

Othnielia, de la fin du jurassique, était un dinosaure long de 1,4 m à l'allure de gazelle. Il utilisait les cinq doigts de ses pattes avant pour maintenir une fougère pendant qu'il la mangeait. Ses bajoues lui servaient à stocker les débris coriaces de végétaux, qu'il gardait pour les mâcher plus tard.

• LA PARADE DES DINOSAURES •

Les dinosaures herbivores

Pendant presque toute la période d'existence des dinosaures, des centaines, peut-être des milliers d'espèces d'herbivores ont brouté les fougères, les cycas et les conifères du trias et du jurassique, et les plantes à fleurs du crétacé. Les ornithopodes à bec de canard (pachycéphalosaures, iguanodontes, dinosaures cuirassés et dinosaures à corne rôdant en immenses troupeaux à la fin du crétacé) avaient des joues développées pour y stocker les plantes pendant qu'ils mâchaient. Les sauropodes à « bassin de lézard », parmi lesquels on trouve *Apatosaurus*, *Diplodocus* et *Brachiosaurus* atteignaient avec leur long cou les feuilles de la cime des arbres. Ils avaient de très longs intestins ainsi qu'un estomac contenant des pierres (comme sur l'illustration), qui les aidaient à digérer leur nourriture.

22

DENTS ET BECS

Les paléontologues apprennent beaucoup en observant. Ainsi les dents des girafes sont différentes de celles des zèbres, car elles mangent les pousses tendres à la cime des arbres, tandis que les zèbres broutent l'herbe sèche. De la même façon, les différents dinosaures ont acquis une dentition différente adaptée à leur régime alimentaire.

Protoceratops, un des plus petits dinosaures à corne, avait un bec semblable à celui d'un perroquet pour faucher les plantes, et des dents comme des ciseaux pour découper sa nourriture.

Camarasaurus, sauropode de 18 m de long, avait des dents coupantes en forme de cuillère mais aucune dent broyeuse. Il pouvait toutefois arracher les feuilles des arbres les plus hauts.

Corythosaurus, dinosaure à bec de canard, arrachait les feuilles avec son bec corné et les stockait dans ses bajoues. Il les broyait avec ses rangées de dents ajustées.

Plateosaurus, géant au long cou primitif, avait des dents en forme de feuilles pour manger les plantes tendres, comme les fougères. Il n'avait pas de dents broyeuses.

Iguanodon broutait des plantes coriaces telles que les prêles. Avec son bec corné, il détachait les feuilles que ses dents broyeuses réduisaient en pulpe.

ÉTONNANT MAIS VRAI

Heterodontosaurus, herbivore du début du jurassique, avait trois sortes de dents : sur le devant de la mâchoire supérieure, de petites dents coupantes, et sur la mâchoire inférieure, un bec corné. Puis venaient deux paires de dents larges et crochues et des dents broyeuses en arrière.

Les dinosaures au long cou

Les plus gros, les plus lourds et les plus longs animaux ayant jamais existé sont les dinosaures sauropodes au long cou. Ces créatures avaient de longues queues, des corps compacts, de petites têtes, des pattes avant plus courtes que les pattes arrière. Des doigts griffus et des pouces étaient plus larges que les autres doigts, ce qui leur permettait d'attraper les branches. En 1986, les paléontologues ont déterré les os d'un gigantesque sauropode, *Seismosaurus* (« Lézard tremblement de terre »), qui devait dépasser les 30 m de long. Ils ont aussi découvert des squelettes complets d'autres sauropodes comme *Brachiosaurus*, qui était long de 23 m et haut de 12 m. *Brachiosaurus* et ses congénères avaient des pattes énormes pour supporter leur poids, mais leur squelette était très léger. Leur corps était immense et ils soulevaient leur longue queue du sol. Celle de *Diplodocus* se terminait par un mince « fouet », mais d'autres sauropodes en avaient une en forme de massue pour se défendre.

LE COU LE PLUS LONG

Mamenchisaurus eut le plus long cou jamais porté par un animal, il mesurait 11 m. Pour atteindre la cime des arbres les plus hauts, *Mamenchisaurus* tendait le cou ou se dressait sur ses pattes arrière.

TROUPEAUX MIGRATOIRES

Des empreintes de pas fossilisées et des groupements de fossiles indiquent que les sauropodes devaient vivre en troupeaux et qu'ils migraient pour trouver leur nourriture. Les adultes devaient alors protéger leurs petits contre les prédateurs.

Une petite tête
L'énorme *Diplodocus* passait beaucoup de temps à manger, car sa tête et sa bouche étaient toutes petites.

Résistant mais léger
Diplodocus disposait d'un squelette léger, mais résistant avec des espaces vides.

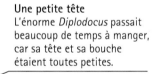

LOURDS MAIS ALLÉGÉS

Diplodocus était plus long que *Brachiosaurus*, mais pesait seulement un tiers de plus. Les espaces vides de son squelette réduisaient son poids, mais pas sa force. La tête de *Diplodocus*, pas plus grosse que celle d'un cheval, était portée par un cou de 7 m de long. Sa queue atteignait la longueur incroyable de 14 m.

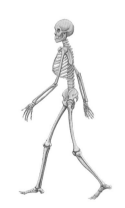

Longues pattes
Avec ses longues pattes avant, cet herbivore pouvait atteindre les pousses tendres de la cime des arbres.

Pattes fortes
Les pattes arrière de *Diplodocus*, tels de solides piliers, supportaient le poids des intestins et de la queue.

UN COU TRÈS LONG

Brachiosaurus avait une toute petite
tête située à l'extrémité d'un cou
de 6 m de long. Ses pattes avant,
presque aussi longues que ses pattes
arrière, permettaient à son cou,
déjà long, de s'étendre davantage.

ÉTONNANT MAIS VRAI

Les sauropodes, bien qu'énormes, pouvaient
aisément nager. Une piste fossilisée montre
que *Diplodocus* pouvait marcher sur ses
deux pattes avant seulement. On suppose
qu'il se déplaçait ainsi dans l'eau,
le reste de son corps flottant.

UN CADEAU ROYAL

En 1905, le millionnaire
américain Andrew Carnegie
présentait le moulage en plâtre
d'un *Diplodocus* au Muséum
d'Histoire naturelle de Londres.
Il avait financé l'excavation
du spécimen original. Le roi
Edward VII fut invité à déballer
le plus gros cadeau jamais reçu
par un roi ! Dix copies
du squelette furent envoyées
dans plusieurs musées
du monde entier.

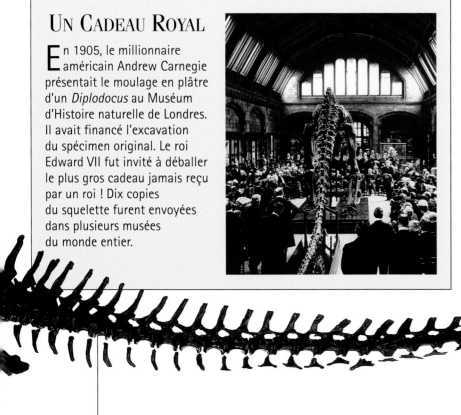

Le fouet
Diplodocus pouvait
gravement blesser ses
assaillants avec le bout
osseux de sa queue,
longue de 14 m.

Une queue musclée
Diplodocus ne pouvait fuir ses
prédateurs, mais sa grande
taille et sa queue lourde et
puissante le protégeaient.

LONG COU

La girafe actuelle, comme
tous les mammifères,
a seulement 7 vertèbres dans le cou.
Les sauropodes en possédaient entre
12 et 19, toutes munies de diverticules
osseux qui augmentaient leur résistance.

Les dinosaures cuirassés

Certains dinosaures herbivores ont évolué d'une étrange manière pour se protéger des prédateurs, défendre leurs nids ou leurs territoires. Les pachycéphalosaures, par exemple, avaient la tête protégée par des plaques osseuses. Les stégosaures, des ornithischiens, animaux lents et à petit cerveau, portaient épines et cuirasses pour se protéger. Le plus connu, *Stegosaurus*, un dinosaure de la fin du jurassique (9 m de long), portait une ou deux rangées de plaques de 4 à 12 éléments disposées le long du dos, et des pointes effilées au bout d'une queue musculeuse. *Ankylosaurus*, un dinosaure de la fin du crétacé (10 m de long), possédait plusieurs centaines de nodules osseux (certains ornés de pointes) sur le dos et les flancs, et une queue terminée par une double massue osseuse. Les cératopsiens, ou dinosaures cuirassés, constituent le dernier groupe d'ornithischiens avant l'extinction des dinosaures. Ils ont vécu en Amérique du Nord et en Asie pendant 20 millions d'années. Les cératopsiens formaient de vastes troupeaux et utilisaient leur cuirasse et leur tête cornée pour se protéger et défendre leurs petits contre des prédateurs tels que *Tyrannosaurus* ou *Velociraptor*.

PRÉDATEURS, ATTENTION !
Styracosaurus, cératopsien de 5 m de long, défendait ses petits en exhibant son bec corné et sa tête en forme de bouclier. Cette collerette épineuse protégeait son cou, et son bec lui servait à éventrer ses assaillants.

GRAND MAIS LÉGER
Le bouclier protégeant la tête de *Chasmosaurus* était léger et mobile. Plus dissuasif que défensif, il lui permettait pourtant d'échapper à ses prédateurs.

PETIT MAIS FORT
Centrosaurus, un cératopsien de 6 m de long, était lent mais se défendait en utilisant sa lourde tête comme bouclier.

26

UNE ARMURE

Kentrosaurus, stégosaure de 5 m de long vivant en Afrique, avait 7 paires de plaques sur la crête dorsale, prolongées par 7 paires de pointes sur le bas du dos, le bassin et la queue.

DES POINTES ET DES ÉPINES

Polacanthus, nodosaure de 4 m de long, protégeait sa tête et ses organes vitaux grâce à une double rangée d'épines verticales, et utilisait sa queue puissante et piquante pour écarter ses adversaires.

DES PLAQUES ET DES POIGNARDS

Stegosaurus se servait de ses plaques dorsales pour se défendre et pour réguler la température de son corps. Il balançait sa queue hérissée de pointes pour blesser ses agresseurs.

BÂTI POUR LA DÉFENSE

L'ankylosaure *Euoplocephalus*, de la fin du crétacé, se déplaçait lentement et avait un petit cerveau. S'il ne pouvait fuir les rapides et puissants prédateurs comme *Velociraptor*, cet animal de 6 m de long pouvait résister à l'aide de ses épaisses cuirasses, et ses yeux étaient même protégés par de petits volets osseux. Il pouvait d'autre part combattre avec sa queue de 2 m de long, terminée par une massue.

UNE CRÊTE CREUSE
Un mâle *Parasaurolophus* communiquait avec les autres membres du troupeau en forçant le passage de l'air, de sa gueule vers la crête creuse, puis vers les naseaux. Sa crête devait également posséder un système de valves qui empêchait ce ronflement quand il respirait.

• LA PARADE DES DINOSAURES •

Les dinosaures à bec de canard

Les hadrosaures étaient des dinosaures à bec de canard, qui se déplaçaient sur leurs pattes arrière et s'appuyaient sur leurs pattes avant pour brouter. Les espèces d'hadrosaures furent les dinosaures les plus communs et les plus répandus de la fin du crétacé. Probablement apparus en Asie centrale, ils ont aussi colonisé toute l'Europe et l'Amérique du Nord. Quand le climat devint plus sec, au crétacé, ils purent survivre car ils avaient une alimentation variée. Tous les hadrosaures appartenaient à la même famille mais présentaient des morphologies extrêmement variées. Certains avaient des sacs nasaux qui, en gonflant, produisaient une sorte de bruit de sirène : ils s'en servaient pour communiquer entre eux. D'autres avaient une sorte de crête creuse qui renvoyait l'écho de leurs mugissements, au son proche de celui d'un basson moderne (en haut à gauche).

Un Air de Famille

Les paléontologues ont longtemps cru que les divers dinosaures à bec de canard n'étaient pas de la même espèce, à cause de la différence de leur crête. En fait, au sein d'une même espèce, de telles différences étaient possibles. Une femelle *Parasaurolophus* pouvait ainsi avoir une crête incurvée de taille moyenne, les jeunes une plus courte, et les mâles une longue crête incurvée. Mais tous utilisaient cet appendice pour produire des sons et communiquer entre eux.

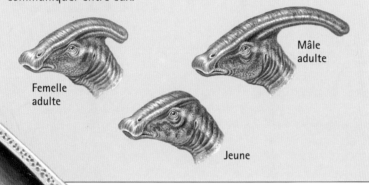

Femelle adulte

Mâle adulte

Jeune

LE BEC DE CANARD

Comme tous les hadrosaures, *Edmontosaurus*, long de 13 m, avait une sorte de bec de canard sans dent et recouvert de peau. Il lui permettait de cueillir les feuilles et les fruits. Mais l'arrière de sa mâchoire étant garni de dents, il pouvait aussi mastiquer sa nourriture.

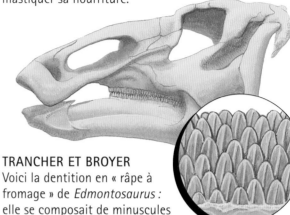

TRANCHER ET BROYER

Voici la dentition en « râpe à fromage » de *Edmontosaurus* : elle se composait de minuscules dents disposées en rangées.

Le Saviez-Vous ?

Saurolophus produisait des sons en gonflant un sac situé sur la partie frontale de son museau. Ce sac était fixé à sa petite crête, en arrière de la tête.

UNE COHABITATION PACIFIQUE

Comme la girafe (qui se nourrit des feuilles des arbres) et le zèbre (qui préfère les plantes au ras du sol), les dinosaures à crête et ceux à tête plate vivaient en harmonie sans se battre pour la nourriture.

Pour en savoir plus, rendez-vous à la page 18 : *Le Crétacé.*

Des animaux étonnants

Comparés aux 150 millions d'années pendant lesquelles vécurent les dinosaures, les 5 millions d'années d'existence de l'être humain font pâle figure. Les dinosaures ont été les plus étranges et les plus extraordinaires animaux de ce monde. Il a parfois été difficile d'imaginer que la Terre ait pu héberger de si immenses créatures : les fossiles du premier dinosaure, un *Megalosaurus* de 9 m de long, ont d'abord été pris pour les restes d'un être humain géant ! On ne savait pas alors quels animaux spectaculaires les dinosaures avaient pu être. *Seismosaurus*, « le lézard tremblement de terre », le plus gros de tous les sauropodes, atteignait plus de 30 m de long. On trouva une omoplate de 2,4 m, plus grande que l'homme le plus grand, et une vertèbre de 1,5 m. Le sol devait trembler à chacun des pas de cette gigantesque créature...

LE PLUS PETIT

Avec son mètre de long et ses 3,5 kg, *Compsognathus* était sans doute l'un des plus petits dinosaures. On pense pourtant qu'il était un tueur rapide et efficace, car un spécimen a été retrouvé avec les os d'un petit lézard dans l'estomac.

LE PLUS LOURD

Pesant 80 tonnes pour 23 m de long, avec des épaules de plus de 6 m de hauteur, *Brachiosaurus* était aussi haut qu'un immeuble de 4 étages. Son humérus mesurait 2 m de long alors que celui d'un homme adulte ne dépasse guère 35 cm.

LE SAVIEZ-VOUS ?

Que peuvent avoir en commun *Struthiomimus* (nom signifiant « comportement d'autruche ») et une autruche ? Tous deux courent très vite sur leurs deux longues pattes fuselées, et ils ont un long cou et une toute petite tête.

LE PLUS RAPIDE

Struthiomimus, haut de 2 m et long de 3 à 4 m, se défendait des prédateurs en fuyant. Il courait à plus de 50 km/h sur ses longues pattes, proches de celles des oiseaux.

LE COU LE PLUS LONG

Mamenchisaurus, avec ses 22 m, était presque aussi long que son cousin *Diplodocus*, mais avait une queue un peu plus courte. Avec son cou de 11 m, il pouvait atteindre la cime des arbres les plus hauts.

LE PLUS LONG

Avec ses 23 m de long, dont une queue de 14 m, *Diplodocus* est le plus long dinosaure connu. Sa puissante queue, utilisée comme un fouet, éloignait ses prédateurs comme *Allosaurus*.

LE PLUS TERRIBLE PRÉDATEUR

Tyrannosaurus, à l'exception du requin blanc actuel, fut le plus gros prédateur de toute l'histoire. Pesant 7 tonnes, il pouvait atteindre 14 m de long et dépasser la hauteur d'un autobus à impériale.

DE PLUS EN PLUS GROS !

Dans les années 70 à 80, les chercheurs de fossiles ont trouvé des os de sauropodes encore plus longs que ceux de *Brachiosaurus*. Appelés *Supersaurus*, *Ultrasaurus* et *Seismosaurus*, ces animaux incroyables mesuraient plus de 30 m ! Sur cette photographie, le paléontologue James Jensen pose à côté d'une patte reconstituée de l'un de ces géants. Ces fossiles étant encore pris dans la roche, il faudra entre 10 et 20 ans pour reconstituer ces squelettes en entier. Ils battront alors le record de longueur.

LE PLUS GRAND NOMBRE DE DENTS

Anatotitan, dinosaure à bec de canard, possédait environ 1000 minuscules dents en forme de feuilles, disposées en rangées de 200 à 250 de chaque côté des mâchoires inférieure et supérieure. Deux *Anatotitan* ont été trouvés avec les restes de leur dernier repas : aiguilles de pins, brindilles, graines et fruits.

Les fossiles

Les paléontologues se réfèrent aux fossiles, même s'ils sont rares, pour savoir comment vivaient les dinosaures. Mais certaines conditions sont nécessaires à une bonne fossilisation : l'animal doit être suffisamment gros pour que les charognards ne le mangent pas, et doit mourir dans un lieu adéquat. En effet, les os d'un dinosaure tombé au fond d'un lac ont plus de chances d'être bien préservés car les sédiments les recouvrent rapidement. Généralement, seuls les os restent intacts car ils se sont transformés en minéraux très résistants (comme l'opale). Parfois le sable ou la cendre volcanique momifient le corps et conservent, en impression, la texture de la peau. D'autres fois, on ne retrouve que des empreintes de pas. Les paléontologues utilisent tous ces indices pour imaginer la vie de ces animaux qui vécurent il y a des millions d'années.

RETOUR VERS LE PASSÉ
Les plus anciennes couches de roches (les plus profondes) portent des traces d'animaux unicellulaires comme les bactéries ou les algues. Les êtres vivants plus complexes, les végétaux et les animaux, ont été trouvés dans des couches plus récentes.

FUTUR FOSSILE
Un *Camptosaurus* de 6 m de long est mort au bord de la rivière. Le soleil brûlant commence déjà à dessécher son corps. Si les charognards n'en font pas leur festin, il sera progressivement recouvert de boue et se fossilisera. Les *Coelurus*, présents autour de la carcasse, mangent des insectes et d'autres petits animaux. Leurs mâchoires sont trop faibles pour déchirer la peau de *Camptosaurus*.

SITES FOSSILES EN MONGOLIE

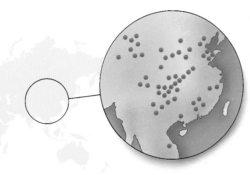

La Mongolie, en Asie centrale, est aujourd'hui une étendue de sable et de désert. Durant le jurassique et le début du crétacé, cette région, chaude et humide avec des lacs et des bras de mer, était idéale pour beaucoup de dinosaures.

SITES FOSSILES D'AMÉRIQUE DU NORD

L'Amérique du Nord était une région chaude et humide durant le jurassique et le début du crétacé. De grands herbivores y vivaient mais ils disparurent quand le climat se refroidit à la fin du crétacé.

DES OS OU DES PIERRES ?

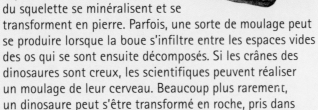

Les squelettes peuvent se fossiliser de différentes façons. Dans le cas d'un fossile pétrifié (à droite), les couches supérieures et moyennes des os du squelette se minéralisent et se transforment en pierre. Parfois, une sorte de moulage peut se produire lorsque la boue s'infiltre entre les espaces vides des os qui se sont ensuite décomposés. Si les crânes des dinosaures sont creux, les scientifiques peuvent réaliser un moulage de leur cerveau. Beaucoup plus rarement, un dinosaure peut s'être transformé en roche, pris dans une couche de sable sec qui a gardé la trace de sa peau.

HORS D'ATTEINTE

Sous la surface du lac, le dinosaure mort est à l'abri des charognards. Mangées par les poissons, ses chairs se décomposent en laissant les os intacts.

RECOUVERT

Des couches successives de sable et de sédiments recouvrent les os du dinosaure et empêchent leur destruction.

FOSSILISATION

Prisonniers des couches de sédiments, les os du dinosaure se transforment progressivement en minéraux plus durs que les roches voisines.

DÉCOUVERTE DU FOSSILE

Des millions d'années plus tard, avec l'érosion et les mouvements de la croûte terrestre, le dinosaure fossile réapparaît en surface.

Pour en savoir plus, rendez-vous à la page 40 : *Crânes et squelettes.*

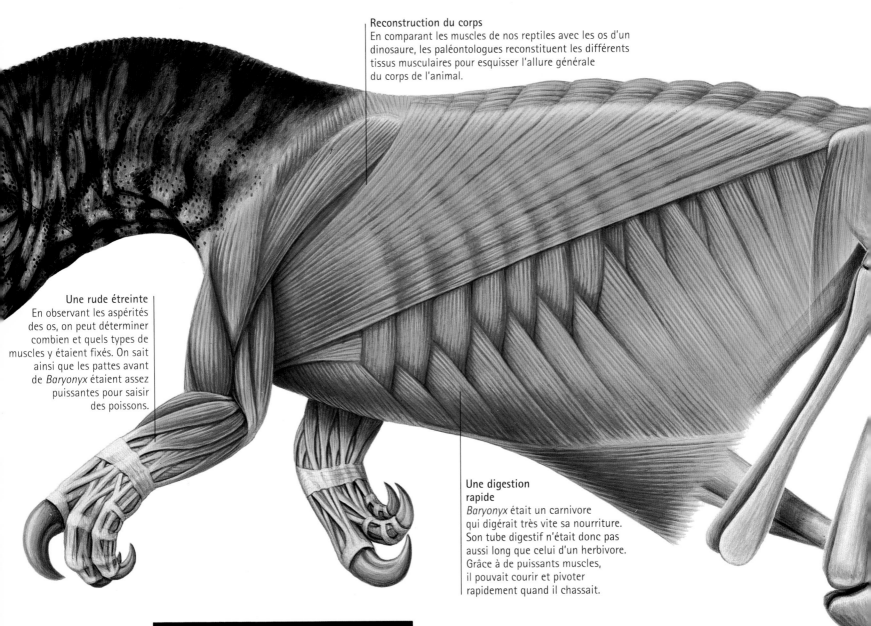

Reconstruction du corps
En comparant les muscles de nos reptiles avec les os d'un dinosaure, les paléontologues reconstituent les différents tissus musculaires pour esquisser l'allure générale du corps de l'animal.

Une rude étreinte
En observant les aspérités des os, on peut déterminer combien et quels types de muscles y étaient fixés. On sait ainsi que les pattes avant de *Baryonyx* étaient assez puissantes pour saisir des poissons.

Une digestion rapide
Baryonyx était un carnivore qui digérait très vite sa nourriture. Son tube digestif n'était donc pas aussi long que celui d'un herbivore. Grâce à de puissants muscles, il pouvait courir et pivoter rapidement quand il chassait.

CHAÎNON MANQUANT
Les ossements complets de dinosaures étant rares, les paléontologues doivent souvent imaginer le reste du squelette en comparant leurs données à celles d'autres fossiles.

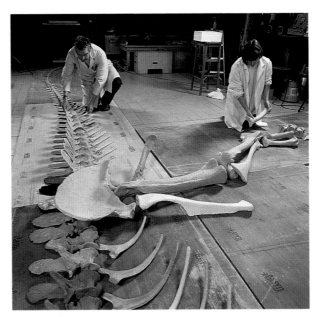

LA TOUCHE FINALE
Les squelettes fossiles étant lourds et fragiles, ceux qui sont exposés dans les muséums sont souvent moulés à partir de l'original dans une matière synthétique, et assemblés sur une armature métallique. Parfois, celle-ci est dissimulée à l'intérieur du squelette.

L'EXPOSITION
Les reconstitutions de squelettes de dinosaures sont souvent réalisées à partir de quelques simples fossiles et demandent beaucoup de travail. Elles permettent de connaître l'apparence de ces animaux.

• À LA RECHERCHE DES DINOSAURES •

La reconstitution d'un dinosaure

Les paléontologues espèrent toujours trouver un squelette complet de dinosaure, même si cela arrive rarement. Ils découvrent plus souvent un os isolé, qui sert de base à la difficile reconstitution de l'animal. En 1983, l'anglais William Walker trouva des griffes fossiles de 30 cm de long d'un grand dinosaure herbivore du crétacé, inconnu jusqu'alors, qu'il appela *Baryonyx* (« lourde griffe »). Les chercheurs ramassèrent avec soin tous les os fossilisés et, en notant leur emplacement sur le sol, ils purent dessiner la position de l'animal lorsqu'il mourut. Après avoir nettoyé les os, ils imaginèrent ceux qui manquaient à partir de leurs connaissances des autres dinosaures et de l'anatomie des reptiles actuels. Puis, ils dessinèrent les différents muscles et obtinrent ainsi une reconstitution vivante de *Baryonyx*, qui était presque aussi long que *Tyrannosaurus*. Des dinosaures reconstitués sont exposés dans tous les muséums du monde.

La peau
Les reptiles carnivores actuels (lézards ou crocodiles) ont une peau lâche autour de la gorge qui se détend quand ils avalent de gros aliments. *Baryonyx* ne mâchait pas ses aliments et sa gorge devait ressembler à celle du crocodile.

Un sourire de poisson
La mâchoire inférieure de *Baryonyx* était courbée comme celle de nos crocodiles et contenait 64 dents, deux fois plus que les autres dinosaures carnivores. Les scientifiques pensent qu'il mangeait des poissons.

LA PEAU
La peau de *Baryonyx* a été recréée à partir de celle des reptiles actuels, comme les serpents. Seuls quelques rares fossiles ont conservé l'empreinte de sa peau.

LE SAVIEZ-VOUS ?

Les os et les écailles fossilisés retrouvés dans un estomac de *Baryonyx* ont prouvé qu'il se nourrissait de poissons d'environ 30 cm, comme les *Lepidotex*. *Baryonyx* utilisait sans doute les longues griffes incurvées de ses pattes avant pour harponner ses proies.

L'OUEST ET LES CHASSEURS DE DINOSAURES

Deux chercheurs américains, Edward Cope (à gauche) et Othniel Marsh (ci-dessous) se livrèrent une compétition féroce pour découvrir le plus grand nombre de dinosaures. Ils allaient jusqu'à payer des voyous pour voler les spécimens de leur concurrent. En 1868, on ne connaissait que 9 fossiles, mais en 1896, Cope et Marsh en avaient décrit plus de 136.

LA DENT MYSTÉRIEUSE

Gideon Mantell réalisa que la mystérieuse dent, quoique plus large, était très proche de celle d'un iguane.

PREMIÈRES DÉCOUVERTES

Gideon Mantell consacra presque toute sa vie à étudier *Iguanodon*, le premier dinosaure décrit en détail.

En 1834, plusieurs os d'*Iguanodon* furent découverts dans une dalle rocheuse. Un ami de Mantell paya 25 livres pour les acheter.

LE SAVIEZ-VOUS ?

Les premiers fossiles de *Tyrannosaurus* furent découverts en 1902 mais aucune des pattes avant des squelettes ne semblait complète. Il fallut attendre 1980 pour découvrir que le plus terrible des dinosaures n'avait que deux doigts aux pattes avant.

LE PÈRE DES DINOSAURES

Richard Owen décrivit plusieurs centaines d'animaux disparus, des dinosaures au plus grand oiseau ayant jamais existé, le moa de Nouvelle-Zélande.

UNE LOINTAINE RESSEMBLANCE

Richard Owen dessina un *Megalosaurus* en s'inspirant des quelques os qu'il avait trouvés.

Affaire à suivre...

En 1822, Mary Ann Mantell trouva une dent fossile dans une carrière. Son mari Gideon, pensant qu'elle appartenait à un herbivore géant, poursuivit ses recherches. Puis il découvrit des os de patte et déduisit que ces restes fossiles avaient dû appartenir à un reptile disparu, *Iguanodon* (signifiant : « dent d'iguane »). Gideon pensait que cet animal ressemblait à un iguane géant, alors que d'autres chercheurs affirmaient que c'était une dent de rhinocéros et des os d'hippopotame. En fait, personne ne pouvait vraiment réaliser qu'un reptile ait pu être aussi gros et différent de nos lézards actuels. Quand Richard Owen, un expert en anatomie animale, s'intéressa à ces curieux fossiles, il comprit qu'ils provenaient d'un individu appartenant à un nouveau groupe d'animaux qu'il appela dinosaures. L'idée d'Owen fit école et de nouveaux scientifiques, les chasseurs de dinosaures, décidèrent d'étudier ces anciens reptiles.

PREMIÈRE ESQUISSE
Après avoir étudié les os, Gideon Mantell fit ce croquis d'*Iguanodon*.

DEUXIÈME ESSAI
28 ans plus tard, *Iguanodon* était représenté en animal massif marchant à quatre pattes, avec une corne de rhinocéros sur le front.

COUP DE POUCE
Quand plus de 30 squelettes d'*Iguanodon* furent découverts en Belgique en 1877, les scientifiques réalisèrent que cette corne était, en fait, la griffe du pouce.

LA VÉRITÉ
Grâce aux chasseurs de fossiles, nous savons aujourd'hui qu'*Iguanodon* marchait dressé sur ses pattes arrière et qu'il était probablement le dinosaure le plus commun. Des spécimens du début du crétacé ont été retrouvés en Afrique, en Europe, en Asie et en Arctique.

EXTRACTION DU TRÉSOR

Les fossiles sont rarement trouvés dans un sol tendre, mais plus souvent dans des roches très dures. Les scientifiques doivent alors creuser, et parfois même casser de larges blocs de roche avec des explosifs pour les récupérer.

PRÉPARATION DU TYRANNOSAURUS

Les paléontologues passent des mois à préparer la reconstitution d'un fossile, avant de faire renaître le dinosaure, tel qu'il était dans la roche.

LES OUTILS

La plupart des outils utilisés par les paléontologues : marteau, ciseau, truelle ou pinceau, s'achètent dans n'importe quelle quincaillerie.

Le sens de la déduction

Seuls des petits bouts de queue de *Baryonyx* ont été découverts. Mais on sait que ce grand théropode ressemblait à *Allosaurus* et qu'il devait avoir une queue puissante.

LES PIÈCES DU PUZZLE

Sur le site de la fouille, les paléontologues dessinent une carte précise de l'emplacement de tous les os fossilisés.

LOCALISATION

Des os fossiles de *Baryonyx* (voir le dessin) ont été retrouvés dans une carrière d'argile du sud de l'Angleterre. Les scientifiques tentent toujours de définir ce qui le relie aux autres dinosaures.

TRANSPORTER AVEC SOIN

Les os fossiles sont maniés avec précaution. Ils sont protégés par des bandes de plâtre protectrices, avant d'être transportés jusqu'au muséum.

Pour en savoir plus, rendez-vous à la page 40 :
Crânes et squelettes.

Restauration des os
Les os de squelettes manquants
sont redessinés à partir de l'étude
anatomique d'autres animaux.
L'ischion de *Baryonyx* a ainsi été
reconstitué sur le modèle de la
hanche des dinosaures carnivores.

Des muscles puissants
On voit de longues excroissances
osseuses au-dessus et en dessous
des vertèbres de la queue, là où se
trouvaient les muscles permettant
à *Baryonyx* de soulever sa queue.
Il devait l'utiliser comme balancier
quand il courait vers l'eau pour
attraper ses proies.

À Partir d'un Os

Les os portent souvent les traces des
attaches musculaires et permettent ainsi
de situer leur emplacement. Ce métatarse, un
os long du pied, appartenait à un
Iguanodon. Les scientifiques sont partis de
cet os pour réaliser une reconstitution
précise de son squelette.

Illustration scientifique
Pour rendre toutes les nuances et les ombres
d'un os fossile, les illustrateurs scientifiques utilisent
des techniques de pointillés qui leur permettent
de réaliser des dessins très précis.

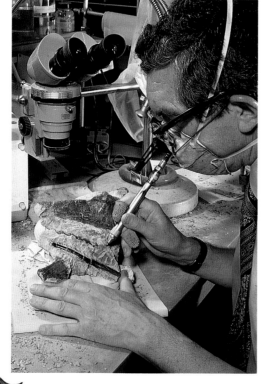

AJUSTER LES OS
Avant de passer à cette étape, les scientifiques
examinent chaque os au microscope, le
nettoient soigneusement avec de l'air sous
pression et des roulettes de dentiste.

À LA PLANCHE À DESSIN
Chaque os fossile
est dessiné et décrit
très précisément pour
que les scientifiques
du monde entier
sachent exactement
quels os ont été trouvés.
Les illustrations
et les descriptions
de *Baryonyx* les ont
ainsi décidés à classer
ce dinosaure atypique
dans un groupe à part.

37

Crânes et squelettes

La plupart des dinosaures que nous connaissons étaient plus gros que nos animaux actuels. Un dinosaure de taille moyenne comme *Camptosaurus* mesurait environ 6,5 m de long, un tiers de plus qu'un éléphant d'Afrique. Mais *Camptosaurus* ne pesait que 3 tonnes, soit moins qu'un éléphant. Il existe deux types de corps de dinosaures : les coureurs bipèdes rapides comme *Hypsilophodon*, et les lourds quadrupèdes du type *Camarasaurus*. Ils pouvaient atteindre de grandes tailles car leurs squelettes étaient résistants sans être trop lourds. Les vertèbres des grands sauropodes étaient formées d'entretoises et de diverticules osseux qui les rendaient assez légères, contrairement à celles des animaux actuels qui n'auraient pas permis aux lourds dinosaures de se tenir debout. La plupart d'entre eux avaient des crânes percés. Les carnivores avaient, quant à eux, de larges orifices par lesquels passaient les muscles qui actionnaient les mâchoires.

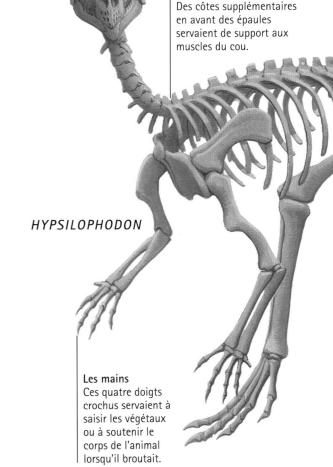

Le crâne
Ce dinosaure de 1,5 m de long, bâti comme une gazelle, avait un bec corné, un gros cerveau et de grandes orbites.

La colonne vertébrale
Des côtes supplémentaires en avant des épaules servaient de support aux muscles du cou.

HYPSILOPHODON

Les mains
Ces quatre doigts crochus servaient à saisir les végétaux ou à soutenir le corps de l'animal lorsqu'il broutait.

CAMARASAURUS

La colonne vertébrale
Comme l'armature métallique d'une grue, les vertèbres fournissent un support indispensable.

Crâne
Ce sauropode de 18 m de long avait une petite tête. Une large ouverture au sommet du crâne devait rafraîchir le cerveau.

Les pattes antérieures
Comme tous les sauropodes, *Camarasaurus* avait des pattes antérieures massives, en forme de piliers, pour supporter son corps.

Le tronc
De longues et larges côtes protégeaient l'énorme estomac dont *Camarasaurus* avait besoin pour digérer ses aliments.

Les pattes arrière
Camarasaurus avait des pattes postérieures assez puissantes pour lui permettre d'atteindre la cime des arbres.

Le pied avant
Cinq orteils puissants et griffus supportaient le poids du tronc, du cou et de la tête.

CERATOSAURUS
Prédateur de 6 m de long, il avait un gros crâne et une puissante mâchoire inférieure et de grandes cavités crâniennes qui abritaient les muscles masticateurs.

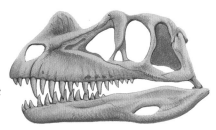

OURANOSAURUS
Même si les muscles de ses mâchoires étaient peu puissants, *Ouranosaurus* était un herbivore efficace à la dentition solide.

LE CERVEAU DES DINOSAURES

Les dinosaures avaient généralement de petits cerveaux, mais cela ne signifie pas qu'ils étaient stupides. Pour connaître leur degré d'intelligence, il vaut mieux considérer la taille et la complexité du cerveau par rapport à la taille globale de l'animal. Ainsi, le corps d'*Iguanodon* était aussi gros qu'un autobus, mais son cerveau pas plus gros qu'un œuf d'oie. *Iguanodon* n'avait pas besoin d'être très intelligent pour trouver sa nourriture, constituée de feuilles et de fruits. *Deinonychus*, en revanche, devait voir, sentir et chasser des animaux rapides. Son cerveau avait la taille d'une pomme alors que son corps était plus petit qu'une voiture. La partie « pensante » du cerveau, l'encéphale, était très peu développée chez les dinosaures. Cela signifie qu'ils ne pouvaient pas apprendre autant de choses qu'un de nos mammifères (chien, cheval, singe).

Singe Rhésus

Iguanodon

La queue
Hypsilophodon tenait sa queue au-dessus du sol grâce aux muscles fixés aux diverticules osseux.

Les os
Hypsilophodon était un coureur rapide car son fémur étant très court, les mouvements de son long tibia et de son pied avaient une grande amplitude.

Le pied arrière
De longs et forts orteils, comme chez l'autruche, donnaient à *Hypsilophodon* une grande assurance dans sa course quand il lui fallait notamment éviter un danger.

LES NASEAUX
Corythosaurus (à gauche) faisait circuler de l'air aspiré par les naseaux jusqu'à sa crête creuse pour produire des sons. *Brachiosaurus* avait des naseaux au sommet du crâne, sans doute pour refroidir son corps.

LE SAVIEZ-VOUS ?

Le cerveau de *Stegosaurus* était de la taille d'une noix. Une cavité située dans les vertèbres, au niveau du bassin, abritait une glande produisant de l'énergie sous forme de glycogène. Elle fournissait à *Stegosaurus* l'énergie nécessaire pour échapper à ses prédateurs.

UNE ARMATURE PUISSANTE
Le tibia et le fémur de *Tyrannosaurus* avaient la même longueur et possédaient des muscles puissants. *Tyrannosaurus* pouvait ainsi se jeter soudainement sur sa proie avec beaucoup d'énergie. Ses pattes n'étaient pas conçues pour courir sur de longues distances.

Pour en savoir plus, rendez-vous à la page 22 :
Les dinosaures herbivores.

Empreintes de pas et autres indices

UNE CUIRASSE DE PROTECTION
La peau des dinosaures, comme celle de nos reptiles, se composait de petites écailles et parfois de plaques osseuses (appelées ostéodermes), qui résistaient aux attaques des prédateurs.

LA RECHERCHE DES EMPREINTES DE PAS
Ces empreintes d'*Apatosaurus* ont été laissées par cinq adultes se déplaçant dans la même direction.

LE MENU JOURNALIER
Des coprolithes (des excréments fossiles) contenant des graines, des pommes de pins et même des tiges de plantes ont été retrouvés.

L es os et les dents fossilisés servent aux paléontologues à découvrir la vie quotidienne des dinosaures. Les empreintes de peau nous montrent comment les dinosaures se protégeaient contre les prédateurs ou les végétaux épineux. Les empreintes de pas fossiles révèlent leurs déplacements et ceux des sauropodes, des hadrosaures et des dinosaures cornus qui migraient en troupeaux. Des restes de nids laissent penser que les dinosaures construisaient leurs nids proches les uns des autres pour les protéger des prédateurs et des charognards. Les œufs et les bébés dinosaures fossiles indiquent leur aspect à la naissance et quelle était leur vitesse de croissance. Les os des dinosaures adultes nous renseignent sur leur régime alimentaire, leurs éventuelles blessures et sur leur mort, tandis que les excréments fossiles nous informent sur leur nourriture.

HISTOIRE DANS LA PIERRE
De petits herbivores se tiennent près d'un troupeau de sauropodes au long cou, alors qu'ils migrent au travers d'une plaine nord-américaine de la fin du jurassique. Quelques carnivores rôdent, espérant attaquer un animal blessé ou isolé.

LES COULEURS VÉRITABLES

Nous ne connaîtrons jamais la véritable couleur des dinosaures car les peaux fossilisées ne gardent pas de tels indices. Certains pensent que les herbivores avaient des couleurs sombres pour échapper aux prédateurs, tout comme les carnivores qui devaient eux aussi se camoufler pour chasser à l'affût. Mais d'autres sont persuadés que les herbivores (en particulier les mâles) changeaient de couleur au cours de l'année pour séduire les femelles ou défendre leur territoire. Les dessins ci-contre, représentant un *Lambeosaurus*, un dinosaure à bec de canard, illustrent cette hypothèse.

LES EMPREINTES DE PAS

Les scientifiques estiment la rapidité d'un dinosaure en calculant allure, longueur d'une enjambée, longueur des pattes et des pieds de l'animal.

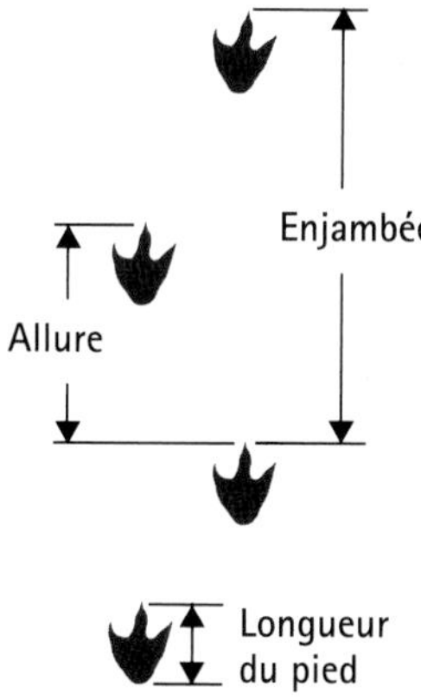

Enjambée

Allure

Longueur du pied

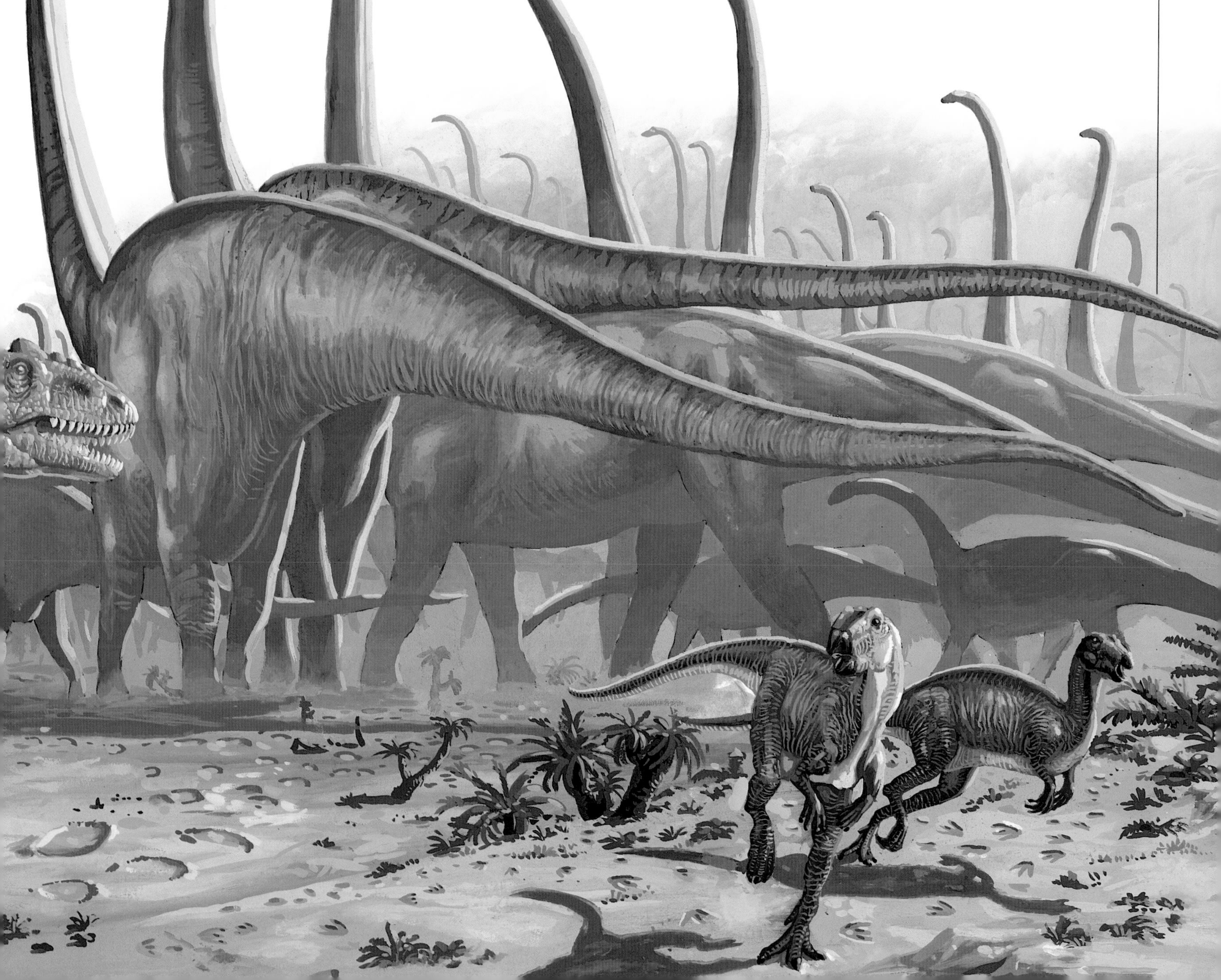

Les nids de *Maiasaura*, découverts par
le Dr Horner, sont espacés de 7 m environ, soit
la taille d'un animal adulte. *Maiasaura* devait
donc avoir assez d'espace pour éviter d'écraser
ses œufs, tout en restant suffisamment près
pour les protéger.

INTÉRIEUR DE L'ŒUF

Sac amniotique
Il contient un
liquide qui
protège
l'embryon.

Chorion
Membrane
permettant les
échanges gazeux
et la respiration.

**Vésicule
ombilicale**
Ce sac contient
de la nourriture
pour l'embryon.

Coquille
Le jeune se
développe,
protégé par une
coquille solide.

LA MATERNITÉ
Un nid de *Maiasaura*
pouvait contenir jusqu'à
25 œufs. Creusé à même
le sol, il avait les bords
relevés et mesurait 2 m
de large, pour 1 m de
profondeur. Les jeunes
mesuraient 50 cm
de long.

• LA VIE D'UN DINOSAURE •

Fonder une famille

Les paléontologues pensaient que les
dinosaures ne surveillaient pas vraiment
leurs œufs et leurs petits, car peu de nids
avaient été découverts jusque-là. Mais, en 1978, le
Dr John Horner a retrouvé un site de nidification
de dinosaures à bec de canard en Amérique du
Nord, des coquilles d'œufs et 15 bébés dinosaures.
Ces derniers avaient déjà dû grandir, mais ils
n'avaient toujours pas quitté le nid. Les parents
s'occupaient donc de leur progéniture. Le Dr Horner
a appelé ces dinosaures *Maiasaura*, ce qui signifie
« bonnes mères lézards ». Les chercheurs ont répertorié
deux carnassiers, *Troodon* et *Oviraptor*, qui
se nourrissaient de leurs œufs. Des œufs fossiles
de sauropodes géants ont été retrouvés en
Europe, en Amérique du Sud et en Chine.
On ne sait pas si ces animaux protégeaient
les leurs ou non.

œuf de poule

œuf
de théropode

œuf d'*Oviraptor*

œuf d'émeu

GROS CORPS, PETITS ŒUFS

Les œufs de dinosaures étaient très petits par rapport au corps des adultes, car de gros œufs auraient eu une coquille trop épaisse pour être brisée par les petits.

LE VOLEUR D'ŒUFS

Oviraptor, un théropode de la fin du crétacé, volait des œufs dans les nids des autres dinosaures. Ses mâchoires puissantes brisaient facilement les coquilles et les os des jeunes qu'il saisissait entre ses pattes avant. Découvert en Mongolie en 1924, un *Oviraptor* fossile saisissant des œufs semblait confirmer cette hypothèse : on crut d'abord qu'ils appartenaient à un *Protoceratops*. Mais de nouvelles expertises démontrèrent qu'il s'agissait des propres œufs d'*Oviraptor*...

LE SAVIEZ-VOUS ?

L'examen au microscope d'embryons et de jeunes *Maiasaura* montrent des articulations osseuses encore peu développées. Ils avaient donc besoin d'être protégés par leurs parents. Les jeunes *Hypsilophodon* (un cousin hadrosaure de *Maiasaura*), avec leurs solides pattes, pouvaient certainement se débrouiller seuls dès leur éclosion.

Pour en savoir plus, rendez-vous à la page 28 :
Les dinosaures à bec de canard.

45

Actif

Inactif

Actif

Actif Actif Actif

DES HAUTS ET DES BAS
Les reptiles à sang froid restent au
soleil pour se réchauffer et avoir
l'énergie de se déplacer. Un
mammifère à sang chaud, comme une
souris, a une température interne
constante, quel que soit le temps.

Rester frais
Ouranosaurus maintenait
sa température interne
constante grâce
à la peau très
vascularisée qui
recouvrait sa voile et
qui permettait de rapides
échanges de chaleur.

Refroidir le sang
Un système
complexe de petites
veines ramène
le sang chaud vers
la voile où il se
rafraîchit avant
de repartir vers
le reste du corps.

• LA VIE D'UN DINOSAURE •

Sang chaud ou sang froid ?

Tous les animaux ont besoin de garder leur corps à température
constante pour avoir l'énergie de se déplacer et de se nourrir.
Les dinosaures disposaient de différents moyens pour stabiliser
leur température. Jabots, voiles, armures ou pointes pouvaient
réchauffer ou refroidir leur sang. Les dinosaures pouvaient aussi
avoir un cœur cloisonné qui propulsait le sang vers
les poumons associé à un système de contrôle de la
température du corps. Les petits carnivores, très actifs,
étaient sans doute des animaux à sang chaud,
contrairement aux grands dinosaures qui devaient
se réchauffer au soleil.

L'AIR CONDITIONNÉ
Ouranosaurus se réchauffait le matin
et se rafraîchissait l'après-midi, en
régulant la circulation de son sang
dans la voile située sur son dos.

PLAQUES OSSEUSES ET CHALEUR

Tuojiangosaurus avait 15 paires de plaques osseuses le long du dos. Ces plaques recouvertes de peau vascularisée l'aidaient à maintenir son corps à température constante.

LE CŒUR CLOISONNÉ

Le rôle du cœur est d'expulser le sang à haute pression vers l'ensemble du corps, et le sang à basse pression vers les poumons. Les grands dinosaures bipèdes avaient besoin d'une pompe cardiaque très puissante pour propulser le sang vers les organes.

Basse pression

Haute pression

COUS ET QUEUES

Les cous et les queues des sauropodes fournissaient une grande surface d'échange pour capter la chaleur du soleil ou pour abaisser leur température interne en milieu de journée.

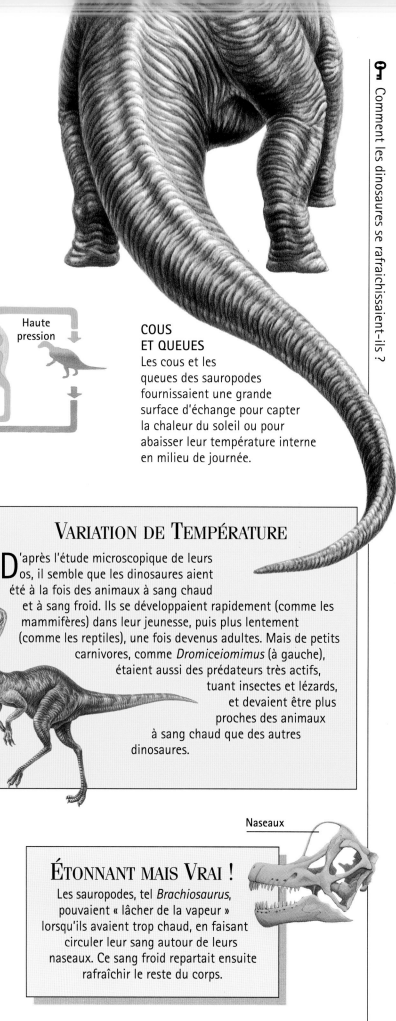

VARIATION DE TEMPÉRATURE

D'après l'étude microscopique de leurs os, il semble que les dinosaures aient été à la fois des animaux à sang chaud et à sang froid. Ils se développaient rapidement (comme les mammifères) dans leur jeunesse, puis plus lentement (comme les reptiles), une fois devenus adultes. Mais de petits carnivores, comme *Dromiceiomimus* (à gauche), étaient aussi des prédateurs très actifs, tuant insectes et lézards, et devaient être plus proches des animaux à sang chaud que des autres dinosaures.

Naseaux

ÉTONNANT MAIS VRAI !

Les sauropodes, tel *Brachiosaurus*, pouvaient « lâcher de la vapeur » lorsqu'ils avaient trop chaud, en faisant circuler leur sang autour de leurs naseaux. Ce sang froid repartait ensuite rafraîchir le reste du corps.

Pour en savoir plus, rendez-vous à la page 8 : *Qu'est-ce qu'un dinosaure ?*

47

UNE GRANDE VARIÉTÉ

Comme les dinosaures
à bec de canard,
ce rhinocéros mangeait
toutes sortes de plantes.

UN RÉGIME SPÉCIAL

Comme les dinosaures
cornus, cette gazelle
choisit soigneusement
sa nourriture, piquant
feuilles et fruits du
bout du museau.

Grand théropode
Dent de *Tyrannosaurus*

Dans la bouche
Apatosaurus
utilisait soit sa
langue musculeuse,
soit ses dents pour
mâcher feuilles
et brindilles.

Baisser le cou
Apatosaurus avait des muscles
puissants qui propulsaient les
aliments dans l'œsophage
(tube de 6 m de long reliant
la bouche à l'estomac).

Reptile actuel
Les dents
du crocodile
arrachent mais
ne tranchent
pas.

• LA VIE D'UN DINOSAURE •

Manger et digérer

Les dinosaures mangeaient et digéraient de différentes façons. Les scientifiques ont beaucoup appris sur leurs habitudes alimentaires en étudiant leurs dents et leurs os, en analysant leurs excréments et en observant comment les animaux actuels mangent et digèrent leur nourriture. Ainsi, certains déchiraient et arrachaient la viande, broutaient des végétaux, mâchaient des feuilles et les réduisaient en bouillie avant de les avaler, ou gobaient des œufs. Les carnassiers avaient des dents aiguisées qui tranchaient les chairs, plus faciles à digérer que les végétaux. Avec ses dents acérées, *Tyrannosaurus* arrachait des lambeaux de chair à ses proies en les attaquant. Les grands herbivores avaient des pierres dans l'estomac (gastrolithes) qui les aidaient à broyer et digérer les végétaux dont ils se nourrissaient.

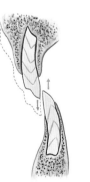

Petit théropode
Dent de *Troodon*

Mâchoire
supérieure

Mâchoire
inférieure

COUPER
Styracosaurus avait des dents
tranchantes comme des ciseaux
pour couper les feuilles.

BROYER
Edmontosaurus réduisait
les feuilles en bouillie avec
ses rangées de dents.

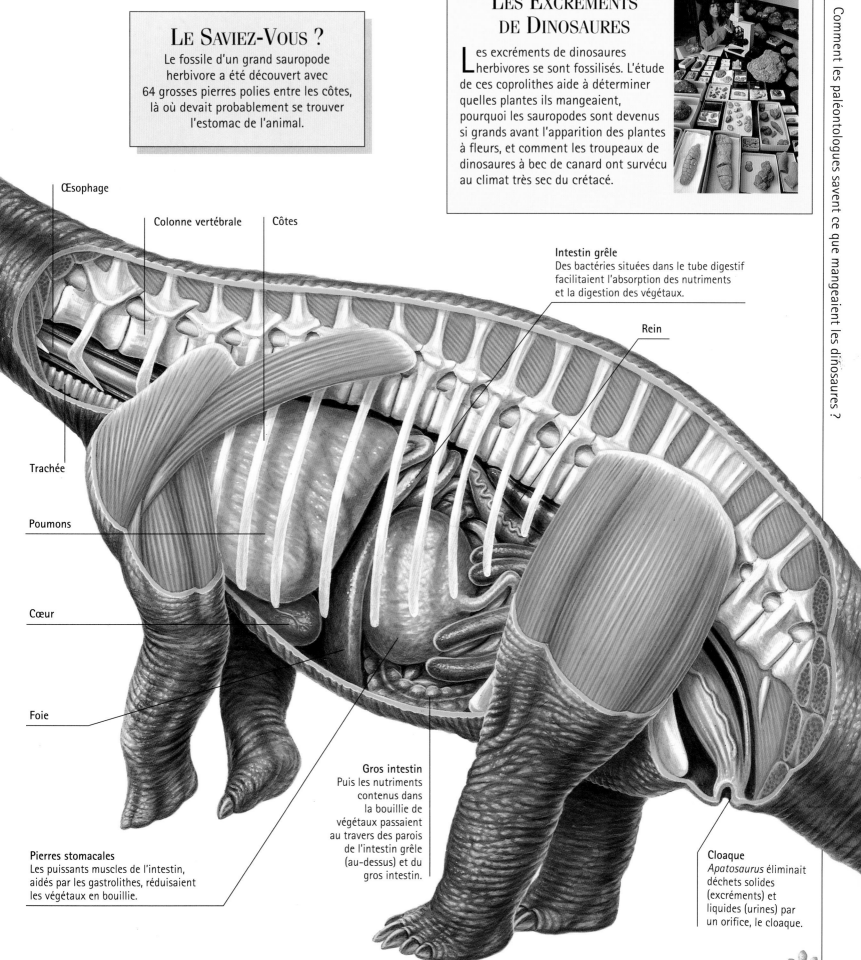

LE SAVIEZ-VOUS ?

Le fossile d'un grand sauropode herbivore a été découvert avec 64 grosses pierres polies entre les côtes, là où devait probablement se trouver l'estomac de l'animal.

LES EXCRÉMENTS DE DINOSAURES

Les excréments de dinosaures herbivores se sont fossilisés. L'étude de ces coprolithes aide à déterminer quelles plantes ils mangeaient, pourquoi les sauropodes sont devenus si grands avant l'apparition des plantes à fleurs, et comment les troupeaux de dinosaures à bec de canard ont survécu au climat très sec du crétacé.

Œsophage

Colonne vertébrale

Côtes

Intestin grêle
Des bactéries situées dans le tube digestif facilitaient l'absorption des nutriments et la digestion des végétaux.

Rein

Trachée

Poumons

Cœur

Foie

Gros intestin
Puis les nutriments contenus dans la bouillie de végétaux passaient au travers des parois de l'intestin grêle (au-dessus) et du gros intestin.

Cloaque
Apatosaurus éliminait déchets solides (excréments) et liquides (urines) par un orifice, le cloaque.

Pierres stomacales
Les puissants muscles de l'intestin, aidés par les gastrolithes, réduisaient les végétaux en bouillie.

Pour en savoir plus, rendez-vous à la page 42 : *Empreintes de pas et autres indices.*

UN BOUCLIER ÉPINEUX
Le cou de *Triceratops* avait une collerette osseuse munie de cornes de 1 m de long qui protégeaient son cou et son thorax des autres *Triceratops* et des prédateurs.

UN CHAR D'ASSAUT
Euoplocephalus disposait d'une armure, de plaques osseuses au niveau des épaules et d'un gros crâne osseux. Il pouvait aussi blesser ses attaquants en brandissant sa queue en forme de double massue.

UNE QUEUE ÉPINEUSE
Tuojiangosaurus projetait sa queue armée de deux paires de pointes acérées contre ses agresseurs.

LE SAVIEZ-VOUS ?
Iguanodon utilisait ses pattes avant pour marcher, pour saisir sa nourriture et pour sa défense. Cet herbivore pacifique pouvait blesser ses prédateurs avec son pouce cornu en les attaquant au cou ou aux yeux.

UNE QUEUE POLYVALENTE
Diplodocus avait une queue aussi longue qu'un court de tennis, qu'il utilisait comme support quand il écrasait un prédateur ou comme d'un fouet.

• LA VIE D'UN DINOSAURE •

Attaque et défense

La plupart des dinosaures utilisaient cornes, pointes ou armures pour se défendre. *Apatosaurus*, lui, pouvait se redresser sur ses pattes arrière et écraser son attaquant avec ses pattes avant, ou bien balancer sa queue pour le blesser. Certains sauropodes se déplaçaient en troupeaux, ce qui leur offrait une relative sécurité. Seuls les animaux les plus faibles pouvaient alors être attaqués. Les dinosaures à « mimiques d'oiseaux », comme *Gallimimus* profitaient de leur rapidité pour s'échapper, alors que *Pachycephalosaurus* frappait avec son crâne pour se défendre. Les carnassiers étaient agiles, rapides et avaient des dents aiguisées qui leur servaient à attaquer ou à combattre leurs prédateurs. *Tyrannosaurus* chassait seul et à l'affût. Les herbivores et les carnivores usaient vraisemblablement du camouflage, la couleur de leur peau se fondant dans le paysage, pour échapper aux prédateurs ou pour débusquer des proies.

UNE GRIFFE TERRIBLE

Comme un faucon utilise ses serres aiguisées pour tuer ses proies, *Deinonychus* (ou « griffe terrible ») se servait de sa griffe de 13 cm située sur le second orteil de chaque patte pour tuer : il sautait, frappait et lacérait la peau des herbivores. Les fossiles de 5 *Deinonychus* ont été retrouvés autour du corps d'un *Tenontosaurus*, indiquant que ces dinosaures, rapides et au cerveau complexe, devaient chasser en groupes.

UN CORPS BLINDÉ

Le squelette de *Pachycephalosaurus* résistait aux rudes assauts qu'il menait.

TÊTE CONTRE TÊTE

Deux mâles *Pachycephalosaurus*, de 4,5 m de long, luttent tête contre tête comme deux cerfs pour conquérir un territoire et une horde de femelles. Bien qu'il ait un crâne solide de 25 cm d'épaisseur, l'un d'eux a été frappé à mort.

Pourquoi ont-ils disparu?

L'extinction des dinosaures, il y a 65 millions d'années, fut l'une des plus mystérieuses et dramatiques disparitions d'animaux de toute l'histoire de la Terre. Mais ils ne furent pas les seuls à disparaître, car ptérosaures, grands reptiles marins et plus de la moitié des espèces furent également anéantis. Le nombre d'espèces de dinosaures a régulièrement régressé pendant 8 millions d'années mais certains animaux résistèrent jusqu'à la fin du crétacé et au début de l'ère tertiaire. Une gigantesque éruption volcanique ou la chute d'une météorite auraient pu faire disparaître ces derniers dinosaures. Des scientifiques avancent d'autres causes comme maladies, augmentation du niveau des mers, changements progressifs du climat. Enfin, des changements climatiques suivis d'une augmentation du niveau des mers auraient pu provoquer une diminution de la surface des terres et de la nourriture disponible pour les dinosaures.

LES VOLCANS
Selon une théorie, des éruptions volcaniques auraient produit des changements climatiques fatals aux dinosaures.

LA MÉTÉORITE
Une gigantesque météorite aurait heurté la Terre, produisant des raz de marée.

LA FIN D'UNE ÈRE
À la mort des dinosaures, tous les grands animaux terrestres disparurent. Les mammifères de la fin du crétacé étaient de petite taille (*Alphadon*, *voir* dessin, mesurait à peine 30 cm de long). Ils ont engendré des espèces nouvelles.

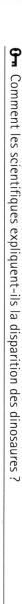

DANS LE FUTUR

Même aujourd'hui, la pollution, les tremblements de terre, les orages ou la déforestation menacent l'avenir des animaux.

ÉTONNANT MAIS VRAI !

Des gens ont inventé les théories les plus folles pour expliquer la disparition des dinosaures : certains ont dit qu'ils étaient morts d'ennui, noyés dans leurs déjections, tués par des extraterrestres ou victimes d'un suicide collectif !

VICTIMES ET SURVIVANTS

Aucune théorie ne semble pouvoir expliquer pourquoi tout un groupe d'animaux a disparu alors que d'autres ont survécu. Ainsi, ptérosaures, dinosaures, mosasaures, plésiosaures et pliosaures disparurent mais non les oiseaux, les tortues ou les crocodiles, puisqu'ils existent encore aujourd'hui.

Victimes	Frontière	Survivants
Dinosaures		
Ptérosaures		
Plésiosaures		
Ammonites		
Mammifères		
Crocodiles		
Serpents et lézards		
Tortues terrestres ou marines		
Amphibiens		
Poissons		
Insectes		
Oiseaux		

PLUMES FOSSILES
Les empreintes de plumes fossiles
d'*Archaeopteryx* confirment le lien
entre reptiles et oiseaux.

LES SURVIVANTS
Les crocodiliens ont peu évolué depuis
le début du crétacé, car ils vivaient dans
un environnement stable.

De génération en génération…

Même si les dinosaures ont disparu, certaines de leurs caractéristiques ont survécu chez certains animaux. Ainsi les scientifiques sont convaincus que les dinosaures sont les ancêtres des oiseaux. Le squelette d'*Archaeopteryx*, le plus ancien oiseau connu, était très proche de celui des dinosaures carnivores à « bassin de lézard », comme *Compsognathus*. D'ailleurs, *Archaeopteryx* est souvent classé parmi les petits dinosaures carnivores à plumes (voir ci-contre une plume fossilisée). Mais les dinosaures sont aussi liés aux crocodiliens qui ont survécu à la grande extinction de la fin du crétacé. Possédant des ancêtres communs, nos crocodiles ont un crâne assez semblable à celui de leurs ancêtres, les archosaures, et sont encore très proches des crocodiliens de l'ère secondaire. Leur mode de vie semble avoir peu changé en 150 millions d'années.

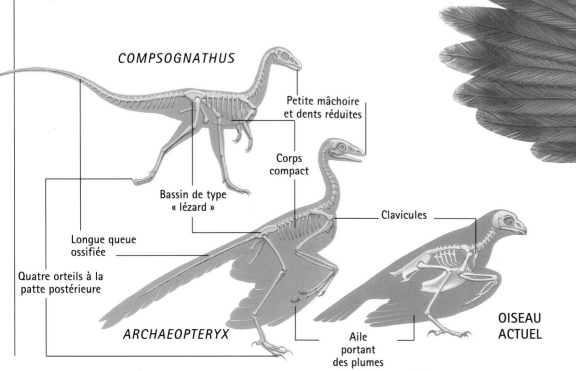

COMPSOGNATHUS

Petite mâchoire
et dents réduites

Corps
compact

Bassin de type
« lézard »

Clavicules

Longue queue
ossifiée

Quatre orteils à la
patte postérieure

ARCHAEOPTERYX

Aile
portant
des plumes

OISEAU
ACTUEL

DU DINOSAURE À L'OISEAU
Les fossiles montrent de fortes
similitudes entre les petits
dinosaures carnivores,
Archaeopteryx et les oiseaux
actuels.

LES PREMIERS VOLS

Archaeopteryx pouvait voler mais, le plus souvent, il se jetait de là où il était perché sur des insectes et des petits reptiles.

ARBRE GÉNÉALOGIQUE

Ornithosuchus

Alligators et crocodiles

Dinosaures ornithischiens

Dinosaures saurischiens

Oiseaux

| TRIAS | JURASSIQUE | CRÉTACÉ | TERTIAIRE | QUATERNAIRE |

RESSEMBLANCES AVEC LE PASSÉ

Certains oiseaux actuels ont une anatomie et un comportement très proches des dinosaures. Le secrétaire, un oiseau d'Afrique, sans doute comme *Compsognathus*, vole rarement mais poursuit sur ses longues pattes insectes, petits reptiles et mammifères. Le hoatzin d'Amérique du Sud utilise les griffes situées sur le bord de ses ailes pour grimper aux arbres, comme *Archaeopteryx*.

Hoatzin

Secrétaire

INGÉNIEUX MAIS FAUX
En 1853, un *Iguanodon* fut reconstitué dans une salle du Crystal Palace à Londres, mais il ressemblait à un iguane géant préhistorique.

LES HUMAINS REPTILIENS
Si les dinosaures n'avaient pas disparu, certains d'entre eux auraient-ils évolué vers des formes humaines ?

Mythes et légendes

Les dinosaures ont donné naissance à de nombreuses histoires et légendes. Dès les premières découvertes, toutes sortes de théories ont été imaginées pour expliquer l'existence de ces os gigantesques. Les plus anciennes descriptions datent de 3000 ans : les savants chinois pensaient que les fossiles de dinosaures étaient des os de dragons. Il y a 300 ans, un os de *Megalosaurus* a été retrouvé en Angleterre mais a été attribué à un éléphant ou à un homme géant. En 1820, des empreintes passèrent pour celles d'oiseaux préhistoriques géants. Même si les dinosaures ont disparu environ 60 millions d'années avant l'apparition des êtres humains, des films les ont mis en scène attaquant des hommes des cavernes ! Ces 50 dernières années, les scientifiques ont peu à peu dissipé les malentendus et les croyances dont ces animaux fabuleux étaient l'objet.

DRAGONS ET DINOSAURES

Les chercheurs chinois, en découvrant des fossiles de dinosaures, imaginèrent que ces os appartenaient à de puissants dragons censés apporter richesse et bonheur.

LE SAVIEZ-VOUS ?

Dans l'ancienne Chine, on fabriquait des médicaments et des poudres « magiques » à base de fossiles de dinosaures. Ces poudres « d'os de dragons » entrent encore dans la composition de remèdes chinois traditionnels.

DES DINOSAURES RAMPANTS

Au départ, les scientifiques pensaient que les dinosaures rampaient, pattes repliées.

LE MYTHE DE L'ÂGE DE PIERRE

On a vu à la télévision des hommes voler sur le dos de ptérosaures, travailler avec des dinosaures, ou les prendre pour animaux de compagnie !

UN MYTHE VIVANT

Les gens sont absolument fascinés par les dinosaures. Même s'ils ont disparu il y a plusieurs millions d'années, ils restent très présents dans notre imaginaire. Dans le film *Jurassic Park*, les héros sont des dinosaures herbivores et carnivores. Ce dessin d'*Allosaurus* (à droite) est imprimé sur un autocollant. Mais on trouve des dinosaures partout : sur des ballons, des cartes postales, des posters, des tee-shirts ou dans des livres.

Pour en savoir plus, rendez-vous à la page 52 : *Pourquoi ont-ils disparu ?*

Allosaurus
« Reptile différent »
Groupe : carnivore
Période : fin trias,
    début crétacé
Découvert : en Amérique
    du Nord, en 1877
Taille : 12 m

Plateosaurus
« Reptile bien membré »
Groupe : herbivore
Période : fin trias
Découvert : en Europe,
    en 1837
Taille : 8 m

Coelophysis
« Reptile à forme
    creuse »
Groupe : carnivore
Période : fin trias
Découvert : en
    Amérique du Nord,
    en 1889
Taille : 3 m

Coelurus
« Reptile à queue creuse »
Groupe : carnivore
Période : fin jurassique
Découvert : en Amérique
    du Nord, en 1879
Taille : 2 m

Euoplocephalus
« Reptile à tête bien
    protégée »
Groupe : herbivore
Période : fin crétacé
Découvert : en Amérique
    du Nord, en 1910
Taille : 6 m

Stegosaurus
« Reptile à plaques »
Groupe : herbivore
Période : fin jurassique
Découvert : en Amérique
    du Nord, en 1877
Taille : 9 m

Saltasaurus
« Reptile de Salta »
Groupe : herbivore
Période : fin crétacé
Découvert : en Amérique
    du Sud, en 1970
Taille : 12 m

Pachycephalosaurus
« Reptile à tête épaisse »
Groupe : herbivore
Période : fin crétacé
Découvert : en Amérique
    du Nord, en 1943
Taille : 8 m

Maiasaura
« Lézard bonne mère »
Groupe : herbivore
Période : fin crétacé
Découvert : en Amérique
    du Nord, en 1979
Taille : 9 m

• LA DISPARITION DES DINOSAURES •

Un défilé de dinosaures

Les dinosaures sont apparus il y a 150 millions d'années, soit longtemps avant l'arrivée des hommes sur Terre. Même si nous ne connaissons toujours pas le nombre exact d'espèces de dinosaures, nous savons qu'il y en avait deux fois plus durant le jurassique que pendant le trias. Au cours du crétacé, le nombre d'espèces s'est fortement accru, dépassant au total celui des deux périodes précédentes. Les dinosaures nous ont beaucoup renseignés sur l'évolution de la vie sur Terre, mais le pourquoi de leur domination et de leur disparition de la planète reste très énigmatique. De nombreux scientifiques proposent des hypothèses et des explications plus ou moins réalistes.

Brachiosaurus
« Large reptile »
Groupe : herbivore
Période : fin jurassique
Découvert : en Amérique
   du Nord, en 1903
Taille : 23 m

Deinonychus
« Reptile aux griffes
   terribles »
Groupe : carnivore
Période : début crétacé
Découvert : en Amérique
   du Nord, en 1969
Taille : 3 m

Hypsilophodon
« Reptile à longues dents
   striées »
Groupe : herbivore
Période : début crétacé
Découvert : en Europe,
   en 1870
Taille : 2 m

LES DINOSAURES AUJOURD'HUI

Quand Richard Owen inventa le terme *dinosaure*, il y a 150 ans, les scientifiques n'avaient répertorié que 9 espèces. Aujourd'hui, ils en connaissent plus de 1000. Elles comprennent une incroyable variété d'herbivores, de carnivores, de voleurs d'œufs, d'animaux à cornes et à crêtes, ou dotés d'épines et de griffes tranchantes comme des rasoirs. Dans les musées, les films, les parcs à thème, les dinosaures sont vraiment partout et plaisent beaucoup aux enfants. Bien qu'ils aient disparu depuis près de 65 millions d'années, ils sont toujours vivants dans notre imagination.

Ouranosaurus
« Reptile courageux »
Groupe : herbivore
Période : début crétacé
Découvert : en Afrique,
   en 1976
Taille : 7 m

Tyrannosaurus
« Lézard tyran »
Groupe : carnivore
Période : fin crétacé
Découvert : en Amérique
   du Nord, en 1905
Taille : 14 m

Parasaurolophus
« Reptile à côté de *Saurolophus* »
   (*Saurolophus* : « Reptile à crête »)
Groupe : herbivore
Période : fin crétacé
Découvert : en Amérique
   du Nord, en 1923
Taille : 10 m

Triceratops
« Tête à trois cornes »
Groupe : herbivore
Période : fin crétacé
Découvert : en Amérique
   du Nord, en 1889
Taille : 9 m

Struthiomimus
« Reptile aux allures d'autruche »
Groupe : carnivore
Période : fin crétacé
Découvert : en Amérique
   du Nord, en 1917
Taille : 4 m

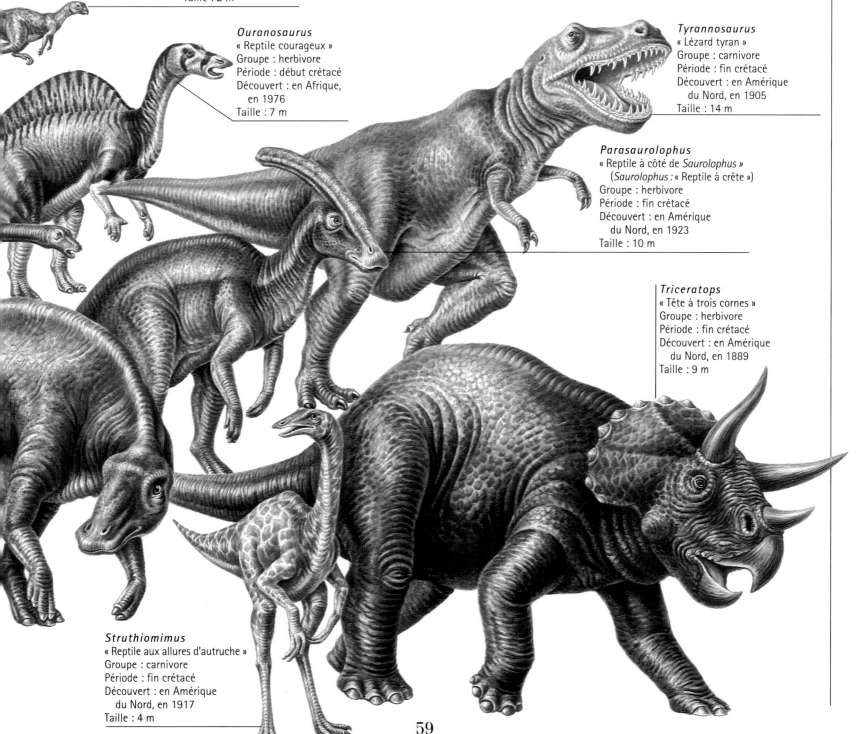

Questions et Réponses

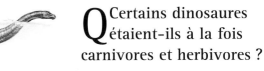

Q Les dinosaures savaient-ils nager ?

R Bien que les dinosaures ne soient pas issus des grands reptiles nageurs, certaines espèces nageaient. Les herbivores, quant à eux, pataugeaient dans les marais. Intrigués par les empreintes de pas d'un *Diplodocus* marchant sur un seul pied, les chercheurs ont supposé que ce grand sauropode devait avancer en se propulsant à l'aide d'une de ses pattes avant, se dirigeant avec sa queue et ses pattes arrière (voir au-dessus).

Q Comment devenir paléontologue et découvrir des fossiles de dinosaures ?

R Pour cela, il faut suivre des études de biologie ou de géologie à l'Université et se spécialiser dans un domaine précis.

Q Où vivaient les dinosaures ?

R Des fossiles de dinosaures et d'empreintes de pas ont été retrouvés sur tous les continents, y compris en Antarctique, qui était une région chaude à l'époque des dinosaures. À l'ère secondaire, le monde n'était pas tel qu'il est aujourd'hui. De lents mouvements géologiques ont fait surgir des montagnes, et certaines régions se sont refroidies sous l'effet de la dérive des continents.

Q Les dinosaures mangeaient-ils de l'herbe ?

R Non, parce que l'herbe n'est apparue qu'au cours du myocène, 40 millions d'années après l'extinction des dinosaures.

Q Certains dinosaures étaient-ils à la fois carnivores et herbivores ?

R Les dinosaures à « bassin de lézard », tels que *Ornithomimus*, *Gallimimus* ou *Struthiomimus*, mangeaient des petits reptiles, des mammifères, des insectes, et même des œufs d'autres dinosaures ou des végétaux. La viande donnait de l'énergie à ces dinosaures à allure de gazelles, dont le seul moyen de défense était la fuite.

Q Comment définir le sexe des dinosaures ?

R Il est toujours difficile de savoir si un fossile de dinosaure est mâle ou femelle. En observant les mammifères actuels, on suppose que les mâles devaient être plus grands et que les dinosaures à bec de canard mâles (comme ce *Parasaurolophus*) avaient une crête plus grande. Les fossiles de *Pachycephalosaurus* ont des crânes de tailles très différentes. Les crânes les plus volumineux devaient appartenir à des mâles.

Mâle

Femelle

Q Les dinosaures étaient-ils affectés par des insectes et des parasites ?

R Les dinosaures avaient une peau épaisse mais certains insectes devaient arriver à les piquer pour sucer leur sang, car les crocodiles et les lézards actuels peuvent être piqués par des mouches et des moustiques. Bien qu'on n'ait jamais trouvé de parasites dans le corps des dinosaures, on suppose qu'ils en étaient victimes, comme nos animaux.

Q Les dinosaures carnivores étaient-ils plus intelligents que les herbivores ?

R Oui, car les dinosaures carnivores avaient un cerveau plus volumineux que celui des herbivores. Ils devaient faire preuve d'intelligence pour débusquer et tuer des proies, souvent plus grosses qu'eux et bien protégées par leur cuirasse.

Q Combien de temps vivait un dinosaure ?

R Les fossiles n'ont pas suffi à nous renseigner sur l'âge maximum que pouvaient atteindre les dinosaures. Des études récentes ont révélé que les dinosaures, tel *Hadrosaurus*, étaient sexuellement mûrs pour la reproduction entre 5 et 12 ans.

Q Pourquoi est-il si passionnant de trouver des fossiles ?

R Parce qu'ils sont très rares. Les dinosaures terrestres furent les plus gros animaux à avoir jamais vécu sur Terre. Or les grands animaux, reptiles ou mammifères, sont moins nombreux que les petits. Leurs restes fossiles sont donc particulièrement rares. Récemment, des fossiles de petits dinosaures ont été retrouvés dans le désert de Gobi. C'était une découverte assez inhabituelle car les petits animaux sont en général la proie des charognards et des insectes, et leurs os sont rapidement abîmés par la pluie, ou pulvérisés par les mouvements du sol avant qu'ils ne se fossilisent. De plus, si ces petits os sont fossilisés, il est très difficile, compte tenu de leur taille, de les retrouver des millions d'années plus tard.

Q Combien existait-il d'espèces de dinosaures ?

R C'est une question à laquelle nous ne pourrons jamais répondre. Seuls quelques animaux de ce groupe ont pu être fossilisés. Les fossiles ne sont donc qu'une sorte d'échantillon des espèces présentes à l'époque. Plus de 800 espèces de dinosaures ont été décrites mais certains des individus retrouvés sont probablement les mâles et femelles d'une même espèce, ou des animaux d'âges différents. En définitive, nous ne connaissons peut-être guère plus de 350 espèces. Quoi qu'il en soit, certains avancent qu'il devait exister entre 1000 et 1300 espèces de dinosaures, et d'autres 6000.

Q Les dinosaures pouvaient-ils transpirer ?

R Non, car leur peau était garnie d'écailles. Ils ne possédaient pas de glandes sudoripares, mais disposaient d'autres moyens pour rafraîchir leur corps.

Q Que signifient les noms des dinosaures ?

R Le nom de chaque dinosaure, comme celui des animaux et des plantes, est déterminé par ses liens de parenté avec les autres êtres vivants. Ces noms, de racines latines ou grecques, décrivent une particularité de l'animal. *Tyrannosaurus rex*, par exemple, signifie « roi des lézards tyrans » ; *Corythosaurus* signifie « lézard casqué » ; et *Protoceratops* « premier lézard cornu ».

Q Les hommes préhistoriques vivaient-ils en même temps que les dinosaures ?

R Non. Certains films mettent en scène des hommes et dinosaures à l'époque préhistorique, alors que les hommes sont apparus 60 millions d'années après la disparition des dinosaures.

Glossaire

Ankylosaures Dinosaures de la fin du crétacé ayant vécu en Amérique du Nord et dans l'est de l'Asie. Ils avaient de lourdes plaques osseuses cuirassées, et leurs flancs étaient hérissés de pointes et de nodules osseux. Ils possédaient aussi un crâne très solide et une queue terminée par une masse osseuse en forme de hache.

Archosaures Important groupe de reptiles qui comporte les crocodiles actuels, les dinosaures, les ptérosaures et les thécodontes.

Bipède Animal marchant sur deux pattes.

Carnosaures Grands dinosaures carnivores théropodes (saurischiens) tels que *Megalosaurus*, *Allosaurus* et *Tyrannosaurus*. Les carnosaures, mesurant entre 5 et 12 m de long, à la fois charognards et prédateurs, étaient suffisamment puissants pour chasser les grands herbivores.

Cénozoïque Cette période débute avec l'extinction des dinosaures, il y a 65 millions d'années. C'est l'ère de l'expansion des mammifères.

Cératopsiens Dinosaures cornus de la fin du crétacé présents pendant 20 millions d'années. Bien que les cératopsiens aient appartenu au dernier groupe de dinosaures ornithischiens vivants, ils ont pu s'établir dans toute l'Amérique du Nord et l'Asie centrale, où ils vivaient en grands troupeaux.

Cératosaures Théropodes de taille moyenne se distinguant par des cornes osseuses ou de petites crêtes sur le museau. Des empreintes de *Ceratosaurus*, datant de la fin du jurassique et trouvées en Amérique du Nord, indiquent que ces prédateurs chassaient en groupe.

Cœlurosaures Petits carnivores saurischiens du type *Coelurus*, *Compsognathus*, *Gallimimus* ou *Struthiomimus*. Les cœlurosaures (dont le nom signifie « lézard à queue creuse ») vécurent de la fin du trias à la fin du crétacé en Amérique du Nord, en Europe et en Afrique. Ces prédateurs mesuraient de 1,2 m (*Procompsognathus*) à 4 m de long (*Gallimimus*).

Coprolithe Excrément de dinosaure fossilisé.

Crétacé Période géologique, comprise entre 145 et 65 millions d'années, au cours de laquelle les plantes à fleurs sont apparues et les dinosaures ont disparu.

Crocodiliens Derniers représentants vivants des reptiles archosaures, comprenant crocodiles, gavials, caïmans et alligators.

Cycas Arbre primitif proche du palmier, qui poussait pendant le trias et le jurassique. Seules quelques espèces existent encore aujourd'hui, mais elles sont toxiques pour les mammifères.

Espèce Groupe d'animaux ou de plantes capables de se reproduire et de donner naissance à des petits, pouvant aussi se reproduire. Un genre est un groupe d'espèces proches.

Évolution Changement progressif. De nouvelles espèces de dinosaures ont évolué sur des millions d'années.

Extinction Disparition d'une espèce. Les dinosaures ont disparu à la fin du crétacé.

Gondwana Supercontinent sud de la Pangée, apparu lorsque les terres émergées se sont séparées en deux, il y a 208 millions d'années.

Hadrosaures Dinosaures à bec de canard tels que *Hadrosaurus*, *Maiasaura* ou *Anatotitan*. Les hadrosaures, les plus communs et les plus diversifiés des ornithopodes herbivores, connurent un très grand succès évolutif. Ils vivaient en Asie centrale au début du crétacé et se sont répandus dans toute l'Europe, en Amérique du Sud et du Nord.

Ichthyosaures Reptiles marins à nez court et à physionomie de dauphin, contemporains des dinosaures. Ils donnaient naissance à leurs petits en pleine mer. Ils vécurent au cours du trias et mesuraient entre 1 m (*Mixosaurus*) et 15 m de long (*Shonisaurus*). *Ichthyosaurus*, dont on a retrouvé fossiles et coprolithes, pouvait atteindre la longueur de 2 m.

Iguanodontes Grands dinosaures ornithopodes herbivores du milieu du jurassique, ayant vécu sur tous les continents, du cercle Arctique à l'Australie. Ce groupe a dominé le début du crétacé. L'*Iguanodon* de 9 m de long est le plus connu.

Ilion Principal os du bassin. L'ilion, rattaché à la colonne vertébrale, s'articule avec les pattes postérieures.

Ischion Un des os du bassin. Chez les dinosaures, l'ischion pointe en arrière. Il soutient muscles de la queue et pattes postérieures.

Tyrannosaurus

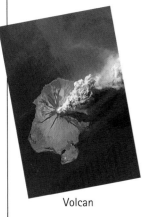
Volcan

Tuojiangosaurus

Magnolia

Prêle

Queue d'*Euoplocephalus*

Jurassique Seconde période de l'âge des reptiles, qui débuta il y a 208 millions d'années et prit fin 145 millions d'années plus tard.

Laurasie Supercontinent nord de la Pangée, du temps où les terres étaient en deux parties.

Mammifères Animaux vertébrés possédant des poils et allaitant leurs petits.

Mésozoïque Ère des reptiles ou ère secondaire, qui débuta il y a 245 millions d'années et s'acheva il y a 65 millions d'années. Elle est divisée en trois périodes : trias, jurassique et crétacé.

Métatarse Os du pied, situé en arrière des orteils.

Météorite Objet céleste rocheux tombé sur la Terre.

Momifié Corps desséché par le vent, la chaleur ou à l'aide de produits.

Ornithischiens Dinosaures à « bassin d'oiseau » herbivores. Chez cette espèce, le pubis est orienté en arrière et vers le bas, parallèlement à l'ischion.

Ornithopodes Dinosaures ornithischiens à « pattes d'oiseaux » comprenant pachycéphalosaures, iguanodontes, hadrosaures et dinosaures cuirassés ou cornus.

Pachycéphalosaures Dinosaures ornithopodes herbivores de la fin du crétacé dotés d'un crâne osseux renforcé en forme de dôme, et mesurant entre 2 et 4,5 m. *Pachycephalosaurus* vivait en Asie et en Amérique du Nord.

Paléontologue Scientifique étudiant la vie au cours de la préhistoire et tout spécialement les fossiles animaux et végétaux.

Pangée Continent regroupant toutes les terres émergées au cours de l'ère primaire, qui se scinda en deux continents au cours du jurassique.

Pétrifié Os fossilisé dont le matériau osseux s'est transformé en minéraux.

Pistes Série d'empreintes de pas laissées sur le sol par des animaux.

Plésiosaures Grands reptiles marins de l'ère mézosoïque, qui avaient généralement un long cou et mesuraient entre 2,3 m (*Plesiosaurus*) et 14 m (*Elasmosaurus*).

Pliosaures Plésiosaures ayant un cou relativement court et un corps puissant.

Prédateur Animal qui chasse d'autres animaux (ou proies) pour se nourrir.

Prêle Plante primitive des marécages apparentée aux fougères. Elles pouvaient être aussi grandes que nos fougères arborescentes mais seules quelques rares espèces ont survécu.

Prosauropodes Ancêtres des sauropodes à long cou. Ils vivaient au début du jurassique et leur taille variait entre 2 et 10 m.

Ptérosaures Reptiles volants, cousins lointains des dinosaures, qui vécurent à la fin du jurassique. Leur envergure était comprise entre 45 cm et 12 m.

Pubis Os du bassin. Chez les saurischiens, il est pointé vers l'avant, et chez les ornithischiens, il reste parallèle à l'ischion et pointe vers l'arrière.

Quadrupède Animal marchant à quatre pattes.

Saurischiens Dinosaures à « bassin de lézards » dont le pubis est orienté vers la tête du bassin. Il existait deux types de ces dinosaures : les théropodes bipèdes carnivores et les sauropodes quadrupèdes herbivores.

Sauropodes Grands dinosaures saurischiens herbivores. Les sauropodes ont été présents à la fin du jurassique, dont ont fait partie les plus grands animaux terrestres ayant jamais vécu sur Terre.

Stégosaures Dinosaures de la fin du jurassique possédant deux rangées de plaques osseuses alternes le long du dos, et deux paires de pointes à l'extrémité de leur queue puissante.

Théropodes Dinosaures saurischiens bipèdes carnivores.

Trias Première période de l'âge des reptiles, qui commença il y a 245 millions d'années et finit il y a 208 millions d'années.

Vertèbre Os du dos, allant de la tête à la queue, qui protège la moelle épinière.

Queue de *Tuojiangosaurus*

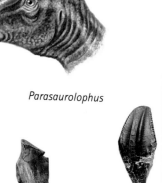

Parasaurolophus

Dents de dinosaures herbivores

Triceratops

Pleisochelys

63

Index

Crédits photographiques

(h=haut, b=bas, g=gauche, d=droite, c=centre, i=icône, C=couverture, D=dos, F=fond)
Ad-Libitum, 28cg, 38hd, 45h (S. Bowey). American Museum of Natural History, 34hg (Neg. No. 28006), 41cd (Neg. No. 35423/A.E. Anderson). Image Select, 56cg (Ann Ronan Picture Library). Ardea, 11hc (M.D. England), 42hcg, 60bg (F. Gohier). Auscape, 55bd (Ferrero/Labat). Austral International, 42hc (Keystone). Australian Museum, 48c (C. Bento). Australian Picture Library, 57bd (P. Menzel), 52cg (NASA/Reuters). Berlin Museum für Naturkunde, 54hc (P. Wellnhofer). Coo-ee Picture Library, 6cg (R. Ryan). Everett Collection, 57bg. Michael & Patricia Fogden, 35cd. The Image Bank, 53hd (J. Hunter), 52hg, 62cg (Image Makers). Institut Royal des Sciences Naturelles de Belgique, 39hd. Matrix, 54hg (Humboldt Museum, Berlin/L. Psihoyos), 20bg (The Natural History Museum, London/L. Psihoyos), 31cd, 36bg, 38hc, 49hd, 57bcd, 59hd (L. Psihoyos). Peter Menzel, 35bd. The Natural History Museum, London, 11hd, 13hd, 22c, 22hg, 24/25b, 25c,

34bg, 34cg, 34ch, 34hd, 35cg, 36bcd, 37bg, 37hd, 38cg, 38bd, 39hc, 39hg, 42cg, 42hg, 44bg, 48bg, 63cd. Natural History Photographic Agency, 48hcg (P. Johnson). David Norman, 56bg. Peabody Museum of Natural History, Yale University, 34cg. The Photo Library, Sydney, 33hc (SPL/S. Stammers). Photo Researchers, 38hg (T. McHugh). Planet Earth Pictures, 54cg (P. Chapman), 48hg (W. Dennis). Stock Photos, 55bcd (Animals Animals). Tom Stack & Associates, 11hg (J. Cancalosi), 35hg (S. Elmore). University of Chicago Hospitals, 14bg. Wave Productions, 37bd (O. Strewe)

Illustrations

Wendy de Paauw, 56/57h. Simone End, 4/5c, 5bd, 9bdc, 10hg, 17d, 19c, 19h, 22hg, 25hd, 27cd, 29cd, 29hg, 41bc, 43ch, 46hg, 47c, 47ch, 47hg, 47hd, 57c, 58/59c, 60, 61c, 62cg, 62bcg, 63hcd, 63bd, i. Christer Eriksson, 20/21c, 26/27c, 31c, 50/51c, 52/53c, 54/55c. John Francis/Bernard Thornton Artists, UK,

14/15c, 16/17c, 18/19c. David Kirshner, 2/3b, 10bc, 10bg, 11bg, 11bd, 11hc, 22/23c, 28/29c, 35-38c, 41hd, 48/49c, 48b, 55bg, 53bd. Frank Knight, 5cd, 6bc, 13cd, 20cg, 23hd, 24bc, 27bd, 29hd, 31bd, 32hg, 33d, 38bg, 40, 40/41hc, 41hc, 47bd, 50, 51ch, 51hg, 54bg, 62bg, 63bcd, 63hd. James McKinnon, 1, 8/9c, 8hg, 20hg, 24/25h, 24hd, 25bd, 25c, 29b, 32/33b, 42/43b, 62hg. Colin Newman/Bernard Thornton Artists, UK, 4hg, 6/7c, 7h, 12/13b, 12hg, 13hg, 44/45c, 44ch, 44hg, 45cd. Paul Newman, 53cd. Marilyn Pride, 15bc. Andrew Robinson/Garden Studio, 34/39c. Peter Schouten, 2hg, 4b, 5h, 15d, 17h, 19h, 21hd, 22bg, 23bd, 26bg, 27hd, 30, 31h, 46/47c. Ray Sim, 14hg, 16hg, 18hg, 33h, 38bc. Rod Westblade, endpapers.

Couverture

Christer Eriksson, FCc. Peter Schouten, FChd, DChg. Colin Newman/ Bernard Thornton Artists, UK, FChg. Frank Knight, DCbd. Quarto Publishing, F.